R   O   M   A   N   C   E

ALICE HOFFMAN

CONFISSÕES AO LUAR

TRADUZIDO DO INGLÊS POR

ELSA T. S. VIEIRA

ASA
LITERATURA

TÍTULO ORIGINAL
SKYLIGHT CONFESSIONS
© 2007, Alice Hoffman

Este livro foi composto por
GSamagaio, Porto,
e impresso e acabado por
Multitipo

1.ª edição: Julho de 2009

Depósito legal n.º 294476/09

ISBN 978-989-23-0539-4

Edições ASA II, S.A.
Uma chancela do Grupo Leya

SEDE

Rua Cidade de Córdova, 2
2610-038 – Alfragide
PORTUGAL

E-mail: edicoes@asa.pt
Internet: www.asa.pt

PARTE 1

ESPOSA FANTASMA

Ela foi a sua primeira esposa mas, quando a viu pela primeira vez, não passava de uma jovem de dezassete anos chamada Arlyn Singer, de pé no alpendre à frente da casa, numa noite que pareceu suspensa no tempo. O pai de Arlyn falecera há pouco e o jantar após o funeral terminara poucas horas antes. Fora uma reunião triste: uma dúzia de vizinhos, sentados à volta da pesada mesa de mogno da sala de jantar, que ninguém usava há mais de uma década. Agora havia panelas de macarrão com queijo, um bolo de morango e uma travessa enorme com fruta; comida suficiente para um mês, caso Arlie tivesse algum apetite.

O pai de Arlyn tinha sido capitão de um *ferryboat* e o centro do mundo dela, em especial nos últimos anos; o capitão brilhara mais depois de preso nas garras da doença, tal como uma estrela cadente na escuridão. Antes um homem habitualmente calado, começara a contar histórias. Histórias de rochedos que apareciam na escuridão, de recifes misteriosos cujo único objectivo parecia ser afundar os *ferries*, de homens afogados que ele conhecera e que nunca tinham voltado. Com um lápis vermelho, desenhara-lhe mapas das estrelas que podiam conduzir um homem perdido até casa. Falou-lhe de uma tribo que vivia do outro lado da água, no distante Connecticut, que era capaz de fazer crescer asas quando confrontada com um desastre. Pareciam pessoas normais até o navio

5

se afundar, ou o incêndio começar a alastrar, e, depois, de repente, revelavam-se. Só então conseguiam escapar.

Na sua mesa-de-cabeceira havia uma colecção de pedras que o capitão dizia ter engolido quando era jovem; afundara-se com um navio e fora o único sobrevivente. Num minuto estava de pé na coberta, no minuto seguinte estava por cima de tudo, no céu. Caíra depressa e com força sobre as águas do Connecticut, com a boca e a barriga cheias de pedras.

Quando o médico veio revelar ao capitão que não havia esperança, tomaram uma bebida juntos e, em vez de gelo, o capitão colocou uma pedra nos copos de *whisky*.

— Vai trazer-lhe boa sorte — dissera ao médico. — Tudo o que eu quero é que a minha filha seja feliz. É toda a sorte de que preciso.

Arlyn soluçara à cabeceira do pai e implorara-lhe que não a deixasse, mas isso não era uma opção nem uma escolha. O último conselho que o capitão lhe dera, enquanto ainda tinha voz, fora que o futuro era um território desconhecido e inesperado e que Arlyn devia estar preparada para quase tudo. Enquanto o pai definhava ficara arrasada pela dor, mas agora sentia-se desprovida de peso, como as pessoas se sentem quando já não têm a certeza de ainda terem alguma razão para se manterem presas a este mundo. A mais leve brisa poderia tê-la arrastado para o céu da noite, através do universo.

Arlyn agarrou-se ao corrimão do alpendre e inclinou-se sobre as azáleas. Flores vermelhas e cor-de-rosa, cheias de botões. Arlyn era uma optimista, apesar da sua actual situação. Era suficientemente jovem para ver o copo, não como meio cheio ou meio vazio, mas como um belo objecto que podia conter qualquer coisa. Murmurou uma promessa, como se o facto de a murmurar pudesse torná-la realidade.

O primeiro homem que descer esta rua será o meu único amor e eu ser-lhe-ei fiel enquanto ele me for fiel.

Girou duas vezes sobre si própria e susteve a respiração como forma de selar o acordo. Trazia o seu calçado preferido, que o pai lhe tinha comprado no Connecticut, sapatinhos de pele tão leves que era quase como se estivesse descalça. O cabelo ruivo dava-lhe pela cintura. Tinha setenta e quatro sardas no rosto — contara-as — e um nariz comprido e direito que o pai lhe garantira ser elegante, não grande. Viu o céu escurecer. Havia uma linha de cinzas lá em cima, bocadinhos de fuligem da chaminé. Talvez o pai estivesse lá no alto, a olhar por ela. Talvez estivesse a bater no caixão, a suplicar que o deixassem sair. Ou talvez ainda aqui estivesse com ela, no seu coração, fazendo com que lhe custasse respirar sempre que pensava na vida sem ele. Arlie sentia a solidão dentro de si mas também estava esperançosa. O passado era o passado. Agora era feita de vidro, transparente e claro. Era um instante no tempo. Uma noite húmida, duas estrelas no céu, uma linha de fuligem, um grupo de vizinhos conversadores, que mal a conheciam, na sala de jantar. Ela convencera-se de que o seu futuro chegaria pela rua onde vivera toda a sua vida, se esperasse o tempo suficiente. Se confiasse no destino.

Na sala, as pessoas falavam sobre Arlyn como se ela tivesse morrido com o pai. Afinal de contas, não era uma rapariga bonita, apenas normal e sardenta. Tinha o diploma do liceu e, tanto quanto se sabia, não era dotada de quaisquer capacidades particulares. Num Verão tinha trabalhado numa gelataria e, no liceu, tivera um serviço de lavagem de cães, ensaboando *basset hounds* e caniches no lava-loiça da cozinha. Era uma rapariga normal, sozinha numa casa onde o telhado podia voar na próxima grande tempestade. As pessoas tinham pena dela, mas, como toda a gente sabia, esse era um sentimento que não durava muito tempo.

Ouviu-se uma buzina ao longe quando o *ferry* atravessou a água, vindo de Bridgeport; o facto de haver nevoeiro nessa noite foi tema de conversa enquanto as mulheres lavavam a loiça, levantavam a mesa, guardavam os bolos e os guisados, antes de saírem para o alpendre para darem as boas-noites a Arlyn. Era um nevoeiro pesado, com sabor a sal, o tipo de nevoeiro que rodopiava à volta dos postes dos candeeiros e dos sinais de trânsito e fazia com que as pessoas se perdessem. Uma noite húmida, suave. Os vizinhos partiram do princípio de que, assim que saíssem, Arlyn entraria na sua casa vazia. Certamente que percorreria o corredor onde os casacos do pai ainda estavam pendurados no cabide, depois subiria o lanço de escadas que o capitão não conseguira descer nos últimos seis meses. Passaria pelo quarto silencioso do pai. Não haveria mais tosse a noite toda. Não haveria mais pedidos de água.

7

Mas Arlyn ficou onde estava. Tinha tanto frio que a sua pele parecia gelo; mas continuou no alpendre. O pai dissera-lhe que se preparasse para o futuro e Arlyn estava preparada e expectante. Certamente que o destino chegaria na sua hora mais sombria. E essa hora era agora, nesta noite húmida e triste. Demorou algum tempo, mas, ao fim de três horas, a fé de Arlyn foi recompensada. Nessa altura o nevoeiro transformara-se numa chuva leve e as ruas cheiravam a peixe. Um carro parou; trazia um homem ainda jovem, perdido a caminho de uma festa. Quando ele saiu para lhe pedir indicações, Arlyn reparou que era mais alto do que o seu pai. Gostava de homens altos. Ele tinha o cabelo penteado para trás. Os seus olhos eram claros e belos, de um cinzento frio. Quando se aproximou, disse: — Olá!

A sua voz não era o que ela esperava — monótona e nasalada. Mas isso não tinha importância. Agora, tudo podia acontecer.

Arlyn recuou um passo para o estudar. Talvez o jovem tivesse pensado que ela tinha medo — um desconhecido que parara para falar com ela, ao volante de um velho *Saab* amolgado oferecido pelo pai. Afinal de contas, ele podia ser qualquer coisa. Um assassino, um ex-condenado, um homem capaz de lhe arrancar o coração do peito.

— Estou perdido — explicou o jovem. Noutra situação, teria continuado a conduzir; nunca em toda a sua vida parara para pedir indicações. Mas estava atrasado e era o tipo de pessoa que chegava normalmente a horas. Falhar na pontualidade deixava-o ansioso; levava-o a fazer coisas estúpidas. Por exemplo, dera a volta ao quarteirão duas vezes. Antes de sair de casa, esquecera-se de verificar se tinha o depósito cheio e agora estava com receio de não conseguir encontrar uma estação de serviço antes de ficar sem gasolina.

O jovem chamava-se John Moody e era finalista em Yale, do curso de Arquitectura; identificou a habitação do pai de Arlie como uma pequena casa de estilo italiano, construída, calculou, na década de 1860, muito comum nestas cidades da margem norte de Long Island. Não estava bem conservada, claro — o telhado parecia papel, as madeiras estavam a necessitar de uma boa pintura — mas era encantadora, na sua decrepitude, tal como a rapariga de cabelo ruivo comprido era encantadora apesar das roupas horríveis e das sardas que lhe salpicavam a pele clara.

Arlyn vestia um sobretudo, apesar de ser Abril.

— Está gelada — disse John Moody.

Arlyn entendeu esta afirmação como uma expressão de preocupação e não como uma mera declaração de facto. A verdade era que estava a tremer sob a luz fria do seu futuro, a luz que fora lançada por este jovem alto que não fazia a mínima ideia de onde estava.

Arlyn sentiu-se fraca. Trémula, na verdade. Passara a vida inteira num casulo; sempre à espera desta noite luminosa. *É agora que começa tudo o resto. O que quer que aconteça a seguir, é para onde a vida me conduzirá.*

John Moody subiu os degraus do alpendre. Instáveis. A precisar de arranjo. John parou um momento para recuperar o fôlego, depois falou.

— Não conheço a pessoa que está a dar a festa. É a irmã do Nathaniel, o meu colega de quarto. Nem sequer sei por que estou aqui.

Tinha o coração a bater com força, de forma desconfortável. O pai sofrera um ataque de coração no princípio do ano. Estaria prestes a ter um também? Bem, nunca gostara de falar com desconhecidos; nunca gostara de falar, de todo. John Moody era um defensor do silêncio e da ordem. A arquitectura tinha regras com as quais se podia contar. Era um devoto das linhas simples e da verdade na forma, sem floreados ou complicações. Não gostava de nenhum tipo de complicações.

Arlyn observou as indicações que o colega de quarto de John lhe dera. Estavam todas erradas.

— Se quer ir para Smithtown, tem de virar na esquina perto do porto e seguir sempre em direcção a oeste. É a quarta cidade.

— Assim tão longe? — John Moody passara um semestre inteiro a trabalhar arduamente em Yale, tentando destacar-se; de repente, sentiu-se exausto. — Não me tinha apercebido de estar tão cansado.

Arlyn compreendia.

— Às vezes, só percebemos o quanto estamos cansados quando fechamos os olhos.

Não havia pressa, pois não? O tempo estava suspenso; não se movia. Entraram e John Moody deitou-se no sofá. Tinha pernas compridas e pés grandes e adormeceu facilmente. Não se lembrava da última vez que tivera um sonho.

— Só uns minutos — disse. — Para recuperar as forças.

Arlyn sentou-se numa cadeira, ainda com o sobretudo vestido, ainda a tremer. Viu John adormecer. Tinha a sensação de que, o que quer que acontecesse a seguir, seria o verdadeiro teste para saber se estavam ou não destinados a ficar juntos. As pálpebras de John estremeceram; o seu peito subiu e baixou. Era lindo a dormir, calmo, imóvel, tranquilo. Parecia certo tê-lo ali. A sala estava cheia de cadeiras que os vizinhos tinham colocado em círculo. Quando o pai de Arlyn estava na pior fase, com tantas dores que tinha de ser sedado para dormir, gemia e agitava-se durante o sono e arrancava os lençóis. Às vezes Arlyn deixava-o, apenas por pouco tempo, para ir respirar ar puro, para estar sozinha por um instante. Caminhava até ao porto e olhava para a escuridão. Conseguia ouvir a água, mas não conseguia vê-la; não conseguia ver absolutamente nada. Tudo o que queria, agora como nessa altura, era um homem que conseguisse dormir. E, finalmente, aqui estava ele.

Arlie deixou John Moody e foi à cozinha. Não comia há três dias e apercebeu-se de que estava esfomeada. Dirigiu-se ao frigorífico e tirou praticamente tudo — as latas de feijão cozido, os folhados de maçã caseiros, o presunto, a tarte de batata-doce, a última fatia de bolo de morango. Sentou-se à mesa e comeu o suficiente para três dias. Quando acabou, encheu o lava-loiça de água com detergente e lavou os tachos e as panelas.

Estava tão cheia que ninguém podia acusá-la de estar tonta devido à fraqueza. Estava racional. Não havia dúvida. Sabia o que fazia. Tirou o casaco, o vestido preto, a combinação, a roupa interior, até os sapatos de pele macios que o pai lhe comprara. Apagou a luz. A respiração mexia-se dentro do seu peito como uma borboleta. Para dentro e para fora. À espera. *Se ele entrar por aquela porta, a minha vida começará.* E, na verdade, quando John Moody entrou na cozinha, o tempo precipitou-se para a frente, deixou de estar suspenso. Ele caminhava para ela, chocado pela sua boa sorte e pelo ambiente de sonho da noite, pela estranheza extrema de sair de Yale como um universitário entediado e acabar aqui, nesta cozinha. Arlie parecia um fantasma, alguém fruto da sua imaginação, uma mulher feita de luar e leite. Os vizinhos que a achavam demasiado vulgar para dar nas vistas teriam ficado espantados ao saber que a única coisa que John Moody conseguia ver era a sua nudez

10

maravilhosa e o seu longo cabelo ruivo. Ele nunca teria imaginado que os outros pensavam nela como feia e sem préstimo.

Quanto a Arlyn, se nunca mais lhe acontecesse nada, isto seria suficiente. A forma como ele pôs os braços à volta dela, a forma como os pratos no escorredouro caíram para o chão, a porcelana boa em estilhaços, e nenhum deles se importou. Ela nunca antes fora beijada; andava demasiado ocupada com arrastadeiras e morfina, os aspectos práticos da morte.

— Isto é uma loucura — disse John Moody, embora não tencionasse parar. Nem conseguiria, mesmo que quisesse.

Guardaria ressentimento em relação a ela por isto, anos e anos mais tarde, pela forma como caíra nesta emboscada? Diria que ela o enganara com uma beleza rara em que ninguém reparara antes? Tudo o que Arlyn sabia era que, quando o conduziu ao quarto, ele a seguiu. Era um quarto de rapariga, com *napperons* de renda nas mesinhas-de-cabeceira e candeeiros de vidro branco; nem sequer parecia pertencer-lhe. A forma como o tempo estava a mover-se, tão depressa, tão intensa, fê-la estremecer. Estava prestes a dar o salto de um mundo para o outro, do *feito e arrumado* para o *aquilo que pode ser.*

Arlyn precipitou-se através do tempo e do espaço; prendeu os braços à volta do pescoço de John Moody. Sentiu os beijos dele no seu pescoço, nos seus ombros, nos seus seios. Ele estava perdido e ela encontrara-o. Ele pedira-lhe indicações e ela dissera-lhe para onde ir. Ele estava a murmurar *Obrigado* como se ela lhe tivesse dado um grande presente. E talvez lhe tivesse dado exactamente isso: ela própria, o seu futuro, o seu destino.

Ele ficou três dias e passaram o tempo todo na cama; ele estava louco por ela, hipnotizado, não queria comida nem água, apenas a queria a ela. Ela sabia a pêra. Como era estranho, esse sabor doce e verde, e mais estranho ainda que ele tivesse reparado. Habitualmente John não prestava atenção às pessoas, mas fê-lo agora. As mãos de Arlie eram pequenas e belas e os seus dentes também eram pequenos e perfeitos, mas tinha pés grandes, como ele. Sinal de uma caminhante, uma empreendedora, uma pessoa que completava as suas tarefas e nunca se queixava. Ela parecia organizada e simples, tudo o que ele admirava. Só soube o seu nome na primeira manhã, só soube da morte do pai dela na segunda manhã. E depois, na terceira manhã, John Moody acordou subitamente de um sonho, o primeiro sonho de que se lembrava em muitos anos, talvez desde que era criança. Estava na casa onde crescera, um edifício famoso que o seu pai, arquitecto, construíra nos arredores de New Haven e ao qual as pessoas chamavam Sapato de Cristal, pois era feito de centenas de janelas unidas por finas faixas de aço polido. No seu sonho, John Moody levava um cesto de pêras pelo corredor. Lá fora nevava e a casa de vidro tornara-se opaca. De início, era difícil ver para onde ia, depois tornara-se impossível.

John estava perdido, apesar de o plano da casa ser simples, algo que conhecera a vida inteira. O pai era apologista do minimalismo, era conhecido por isso, elogiado pelas suas linhas rectas empilhadas umas sobre as outras, como se um edifício pudesse ser feito apenas de espaço e vidro. John Moody baixou os olhos para ver por que motivo o cesto que transportava se tornara tão pesado. Tudo era estranho: a forma como o seu coração batia, a confusão que sentia. Mais estranho ainda: as pêras no cesto tinham-se transformado em pedras pretas e achatadas. Antes que conseguisse impedi-lo, as pedras ergueram-se sem serem tocadas; precipitaram-se pelo ar como se tivessem sido disparadas por um canhão, quebrando as janelas do Sapato de Cristal, uma após outra. Todos os vidros se estilhaçaram e o céu entrou pela casa adentro. Nuvens, pássaros, vento e neve.

John Moody acordou nos braços de Arlyn, num quarto que não reconheceu. Estava tapado por um lençol branco e tinha o peito oprimido pelo medo. Tinha de sair dali. Estava no sítio errado; isso era agora perfeitamente evidente para ele. Altura errada, rapariga errada, tudo errado. Ao seu lado, o cabelo ruivo de Arlie estava espalhado sobre a almofada. Sob aquela luz, a verdadeira luz da manhã, era da cor do coração humano, de sangue. Não parecia natural, não era uma cor pela qual ele, que preferia tons suaves, alguma vez se sentiria atraído.

Arlie soergueu-se sobre um cotovelo.

— O que foi? — perguntou, ensonada.

— Nada. Dorme.

John Moody já tinha as calças vestidas e estava à procura dos sapatos. Naquele preciso momento, devia estar nas aulas. Estava a estudar Italiano, e planeava ir a Florença no Verão, entre a formatura e o início da sua especialização avançada em Arquitectura. Visitaria os grandes salões, veria até onde tinham chegado os grandes mestres, passaria as noites calmas e escuras, sem sonhos, num pequeno quarto de hotel.

Arlyn tentou puxá-lo para si. Mas ele estava inclinado para a frente, fora do seu alcance, a tentar tirar os sapatos de baixo da cama.

— Dorme — disse-lhe John. Aquelas sardas todas, em que não tinha reparado na escuridão. Aqueles braços finos, estendidos para ele.

— Vais voltar para a cama? — murmurou Arlie. Estava meio a dormir. O amor era estupidificante, hipnótico, um mundo de sonho.

— Eu olho por ti — disse John.

Arlyn gostou do que ouvira; talvez tivesse sorrido. John esperou até ela estar a dormir, depois deixou-a. Desceu apressadamente as escadas que o pai de Arlyn não conseguira descer e percorreu o corredor vazio. Havia pó em todos os cantos, fitas negras de luto ainda atadas às costas das cadeiras, pedacinhos de estuque a cair do tecto. Ele não reparara em nada disso antes; tudo caía e se desfazia quando se observava atentamente.

Assim que saiu, o ar fresco foi um choque. Abençoado ar; abençoada fuga. Havia um campo por trás da casa, coberto de margaridas silvestres, relva alta e ervas daninhas. À luz do dia, a casa tinha muito pouco encanto; na verdade, era horrível. Alguém acrescentara uma clarabóia e uma entrada lateral feia. A tinta era de um cinzento monótono, da cor de um cargueiro. Era uma vergonha aquilo que algumas pessoas consideravam ser arquitectura.

John rezou para que o carro pegasse. Assim que pegou, fez inversão de marcha e dirigiu-se ao *ferry*, contando até cem uma e outra vez, como fazem muitas vezes os homens que escaparam por pouco a alguma coisa. *Um, tira-me daqui. Dois, suplico-te. Três, juro que nunca mais me perco.* E por aí fora, até estar em segurança a bordo do *ferry*, a quilómetros e quilómetros dali, a uma distância confortável de um futuro de amor e desgraça.

Quando Arlyn acordou, ouviu apenas o silêncio. Demorou algum tempo a perceber que ele realmente partira. Vagueou pelas divisões vazias e depois sentou-se no alpendre, a pensar que talvez ele tivesse ido ao café buscar o pequeno-almoço, ou à florista comprar uma dúzia de rosas. Não havia sinais dele. Não havia sons. Ao meio-dia caminhou até ao porto, onde Charlotte Pell, da bilheteira, se lembrou rapidamente do homem que Arlyn lhe descrevia. Apanhara o barco das nove e meia para Bridgeport. Estava com tanta pressa que nem sequer esperara pelo troco.

Arlyn levou duas semanas a analisar a situação. Outra mulher talvez tivesse chorado, mas Arlyn já chorara o suficiente para uma vida inteira durante a doença do pai. Acreditava que um acordo era um acordo e que as coisas aconteciam por uma razão. Era metódica e empreendedora, tal como John Moody desconfiara pelo tamanho dos pés dela. Descobriu onde ele vivia depois de telefonar para o gabinete de alojamento de Yale, dizendo que era de um serviço de entregas e que tinha um cesto de fruta para entregar. Não era exactamente uma mentira; tencionava levar pêras. John dissera que ela sabia a pêra e ela imaginava agora que a mera menção desse fruto era significativa para ambos.

Arlyn não era mentirosa por natureza, mas era uma sonhadora. Acreditava que todas as histórias tinham um fim, uma última página como devia ser. A sua caminhada até casa desde a bilheteira do *ferry* não era o fim. Ainda não.

Demorou duas semanas a resolver os seus assuntos. Limpou o sótão e a cave, despachou as bugigangas numa venda de garagem e pôs a casa à venda para pagar as contas médicas do pai. No fim, ficou com muito pouco: mil dólares e meia dúzia de coisas que cabiam numa única mala. Os vizinhos fizeram-lhe uma festa de despedida no café em frente ao terminal do *ferry*. Os mesmos vizinhos que imaginaram que ela não tinha quaisquer perspectivas, ficaram felizes por brindar à nova vida de Arlyn. Afinal de contas, ela era boa rapariga e toda a gente merecia uma oportunidade, até Arlie. Enquanto almoçavam ostras, macarrão com queijo e sanduíches de salada de ovo, todos os vizinhos lhe desejaram boa sorte. Ninguém lhe perguntou exactamente para onde ia. Era assim que funcionava o futuro. As pessoas, muitas vezes, desapareciam nele e tudo o que os outros podiam fazer era ter esperança de que as coisas corressem pelo melhor.

Arlyn apanhou o *ferry* para Bridgeport, depois o comboio para New Haven. Estava segura de si própria no início da viagem, ansiosa quando chegou à universidade. Quando saiu do táxi, escondeu-se atrás de uns rododendros e vomitou duas vezes, depois enfiou rapidamente uma pastilha de mentol na boca para que o seu beijo fosse fresco. Na realidade, não tinha nada para que regressar, portanto estar nervosa não era uma opção.

John Moody estava a estudar para os exames. Tinha o pressentimento de que Arlyn podia localizá-lo e já estava nervoso muito antes de Nathaniel, o seu colega de quarto, lhe vir dizer que tinha uma visitante de cabelo ruivo. Desde que regressara de Long Island, John andava a sonhar. Isso, por si só, já era mau sinal. Não conseguia livrar-se dos pesadelos; por isso, recusava-se a dormir. Estava, pura e simplesmente, exausto; se não tivesse cuidado, ia dar cabo da média. Os seus sonhos estavam repletos de desastres, enganos e erros. Agora, um deles estava a bater-lhe à porta.

— Diz-lhe que não estou — pediu a Nathaniel.

— Diz-lhe tu. Ela está à espera no vestíbulo.

John fechou os livros, desceu as escadas e ali estava ela, estranhamente real, em carne e osso, nervosa, sardenta, com um cesto de fruta nas mãos.

— John — disse ela.

Ele pegou-lhe no braço e afastou-a dali. Pararam no corredor, perto das caixas de correio.

— Ouve, tenho exames. Não sei se compreendes como as minhas disciplinas são difíceis.

— Mas eu estou aqui. Apanhei o *ferry*.

John pensou que ela não era realmente muito inteligente. E tinha uma mala com ela. John pegou na mala e fez sinal a Arlyn. Ela seguiu-o para a rua, até às traseiras do dormitório, onde ninguém os veria. O facto de ela não estar zangada fazia-o sentir-se como se tivesse o direito de se mostrar ofendido. Se olhasse para a situação de um certo ponto de vista, era ele a parte injustiçada. Quem pensava ela que era, para aparecer desta maneira? Para lhe dar cabo da hora de estudo?

15

— Não tenho tempo para isto — disse John, como se estivesse a falar com um gato vadio acabado de entrar no quintal. — Vai para casa, Arlyn. Não tens nada que estar aqui.

— Estamos destinados a ficar juntos. — Arlyn ergueu o rosto para ele, com uma expressão muito séria para quem ainda não tinha feito dezoito anos. Estava cheia de esperança; cheirava a esperança.

— Ah, sim? Onde foste buscar essa ideia?

À sombra dos rododendros, John mal conseguia ver como a pele dela era sardenta. Afinal de contas, era tão jovem, e até era lisonjeiro que tivesse vindo de tão longe à procura dele. E encontrara-o, não fora? Parecia doente de amor. John não se lembrava de alguma vez ter visto tal certeza em alguém.

— Só até amanhã — disse-lhe. — Depois tens de ir para casa.

Ela pegou na mala e seguiu-o de novo para dentro. Não lhe disse que vendera a casa do pai e tudo o que lá havia. Não anunciou que todos os seus pertences estavam dentro daquela única mala. De facto, John não parecia tão feliz em relação ao seu futuro juntos quanto Arlyn julgara que ficaria, ainda não. Não era o tipo de homem que se pressionasse a fazer fosse o que fosse.

No quarto, ele deixou-a sentar-se na poltrona e observá-lo enquanto estudava. Ela percebeu que ele precisava de silêncio; até saiu para lhe ir comprar o jantar, uma sanduíche de carne assada e café preto e quente. Quando ele acabou de estudar, ela estava ali disponível, na cama, tão doce como um sonho. John cedeu-lhe uma última vez. Um adeus, era o que era. O sexo foi ainda mais escaldante; ele estava febril, agia como um homem apaixonado. Mas, assim que adormeceu, surgiram de novo aqueles pesadelos, casas a desmoronarem-se, janelas partidas, ruas que não tinham fim, mulheres que se agarravam e se recusavam a libertá-lo. Isto não podia resultar em nada de bom. John saiu da cama e vestiu-se rapidamente, embora ainda estivesse escuro, faltavam umas horas para começarem as aulas. Não se deu ao trabalho de verificar se as peúgas condiziam. A fruta no cesto em cima da secretária cheirava a madura de mais, a podre. Deixou um bilhete na secretária — *Fui fazer o exame. Bom regresso a casa.*

De facto, quando chegou às aulas, mais tarde, o exame de Italiano correu-lhe terrivelmente mal. Não conseguia lembrar-se de como se dizia *água* ou *livro* ou *taça* em italiano. O seu coração começou outra vez a bater com força — a sensação de ataque cardíaco que tivera da última vez que estivera com Arlyn. Talvez fosse pânico. Tinha de se afastar dali, de alguma maneira. Tinha medo de que ela estivesse à espera dele, na sua cama, e que fosse hipnotizado e a desejasse de novo. Por causa disso, não voltou ao dormitório. Saiu das aulas e dirigiu-se ao carro. Parou num bar à saída da cidade e bebeu algumas cervejas; tinha as mãos a tremer. Cometera um erro de avaliação, nada mais. Não era nada que tivesse de pagar por toda a eternidade. Entrou de novo no *Saab* e dirigiu-se à casa dos pais, nos arredores de Madison, contando pelo caminho: *Um, ninguém me encontrará. Dois, sou livre. Três, não lhe devo nada. Quatro, vai desaparecer tudo como se fosse um sonho.*

Foi o seu colega de quarto, Nathaniel, que disse a Arlyn que John ia muitas vezes passar o fim-de-semana a casa. Nathaniel encontrara Arlyn no vestíbulo, ao final do dia, com a mala ao lado, lavada em lágrimas, depois de se aperceber que John desaparecera. Arlyn explicou-lhe que vendera a casa do pai e que não tinha para onde ir. Nathaniel nunca gostara de John Moody, considerava-o um imbecil egoísta e mimado, por isso foi com satisfação que deu boleia a Arlyn até à casa da família de John. Na verdade, fizeram uma viagem tão rápida, por atalhos e estradas secundárias, que Arlyn estava à entrada da casa meia hora antes de John Moody chegar, um pouco mais embriagado do que pensara.

Arlyn estava na cozinha com a mãe dele, a tagarelar e a cortar cenouras para a salada. John viu-a quando atravessava o relvado. Era tal e qual como ele sonhara. A casa de vidro. A mulher que não o largava. Sentiu-se como se tudo o que estava a acontecer agora já tivesse acontecido num outro mundo sombrio e etéreo, sobre o qual não tinha qualquer controlo. A cozinha tinha trinta janelas e tudo o que ele conseguia ver de Arlyn era o cabelo ruivo. Pensou em pêras e sentiu fome. Não comera nada o dia todo. Só bebera aquelas cervejas. Estava cansado. Andava a estudar muito e a pensar de mais, e sem dormir praticamente nada. Talvez o destino existisse. Talvez tudo isto fizesse parte da ordem natural das coisas, da rectidão do futuro, de uma rede de devoção e certeza. Contornou a casa até às traseiras, como costumava fazer quando era criança, e entrou pela porta da cozinha, batendo com os pés no chão de mosaico, gritando:

— Está alguém em casa? Estou a morrer de fome.

17

Viviam num apartamento na 23rd Street, um grande estúdio com uma alcova, cinco andares acima da rua. O berço do bebé estava a um canto da sala de estar/sala de jantar; uma cama dupla preenchia totalmente a minúscula alcova. Nunca estava completamente escuro e, se calhar, era melhor assim. Arlyn estava sempre a pé durante a noite, a dar de comer ao bebé, a passear com ele de um lado para outro para não acordar John, que estava a fazer a especialização em Columbia, por isso reparava em coisas que talvez as outras pessoas não vissem. Coisas sombrias, coisas sonâmbulas, coisas que a mantinham acordada mesmo quando tinha alguns instantes de sossego. Às duas da manhã, a 23rd Street era azul-escura, cheia de sombras. Arlyn assistira uma vez a uma discussão terrível entre um casal, enquanto dava de mamar ao bebé. O bebé soluçava enquanto mamava, como se o leite de Arlyn estivesse contaminado com a infelicidade das outras pessoas. O homem e a mulher estavam à entrada de um prédio, do outro lado da rua, atacando-se um ao outro com os punhos fechados. O sangue no passeio parecia salpicos de óleo. Quando a polícia chegou, com grande ruído de sirenes, o casal uniu-se subitamente e voltou o seu veneno para os polícias, ambos jurando que o outro não fizera nada de errado, ambos dispostos a lutar até à morte pelo companheiro que, momentos antes, tinham amaldiçoado e atacado.

O bebé de Arlyn, Sam, tinha cabelo escuro e olhos cinzentos como John. Era perfeito. Um nariz pequeno e perfeito e nem uma única sarda. Era calmo e raramente chorava. Não era fácil viver num espaço tão pequeno, quando John tinha tanta coisa para estudar, mas lá se iam arranjando.

— Dorme, bebé — murmurou Arlyn ao filho, e ele pareceu compreendê-la. Fitou-a com os grandes olhos cinzentos, o seu querido menino, e adormeceu.

Os pais de John, William e Diana, eram exigentes e algo reservados, mas Diana estava encantada com o neto; por isso, os Moody tinham acabado por aceitar Arlyn. Ela não era a nora dos seus sonhos — não tinha um diploma universitário, nem qualquer talento digno de nota — mas era doce e amava o filho deles e, claro, dera-lhes Sam. Diana levou Arlyn às compras e comprou tantos fatinhos

18

para Sam que a maior parte deles deixavam de lhe servir antes de ele ter tempo de os vestir; Arlie tinha de os arrumar na última prateleira do armário, ainda nos embrulhos originais.

Apesar de o bebé ser muito bom, John tinha pouca paciência para ele. Diana garantiu a Arlie que os homens da família eram todos assim com as crianças. Isso mudaria quando Sam conseguisse jogar basebol, quando tivesse idade para ser um filho e não um bebé. Arlyn deixava-se convencer facilmente em relação às coisas em que queria acreditar, e a sogra parecia tão confiante que ela partiu do princípio de que a atitude de John iria mesmo mudar. Mas, à medida que Sam crescia, John parecia ainda mais aborrecido com a sua presença. Quando o bebé adoeceu com varicela, aos oito meses, por exemplo, John mudou-se para um hotel. Não suportava ouvir os gemidos e ele próprio estava em perigo, pois nunca tivera varicela. Ficou fora duas semanas, telefonando uma vez por dia, tão distante que mais parecia estar a milhões de quilómetros do que a trinta quarteirões.

Foi então, sozinha no apartamento escuro, enquanto dava banho ao bebé rabugento no lava-loiça da cozinha, com aveia e *Aveeno* para lhe acalmar a pele vermelha e quente, que o mau pensamento ocorreu pela primeira vez a Arlyn. Talvez tivesse cometido um erro. Seria possível que, na noite do funeral do pai, devesse ter esperado para ver quem seria a pessoa seguinte a passar na rua? Sentiu-se culpada e desleal por pensar isso, mas depois de o imaginar — esse outro homem, essa outra vida — não conseguiu parar. No parque, na rua, olhava para os homens e pensava: *Talvez devesse ter sido ele. Talvez eu tenha cometido um erro terrível.*

Quando Sam tinha dois anos, já estava bastante certa de que assim fora. O seu destino ainda estava lá fora, algures, e ela tropeçara erroneamente no casamento de outra mulher, na vida de outra mulher. John acabara os estudos e trabalhava agora na empresa do pai, queixando-se de ser o elo mais fraco da cadeia, apesar do seu talento, um sócio inferior que tinha de fazer o trabalho chato de toda a gente, sem nunca ter liberdade para criar. Estava muito tempo fora de casa, a caminho do escritório no Connecticut, dormindo em casa de um velho amigo em New Haven.

Arlyn andava a ensinar o «aeiou» a Sam. Ele aprendia depressa. Observava a boca dela enquanto ela fazia o som das letras e não tentava sozinho enquanto não conseguisse repetir perfeitamente todas as letras. Sam era muito agarrado a Arlyn e nunca queria brincar com as outras crianças no parque. Quando o pai chegava a casa, Sam recusava-se a falar; não lhe mostrava as letras que aprendera, não cantava as suas musiquinhas, não respondia quando John o chamava. John começou a falar em levá-lo ao médico. Havia algo de errado com o rapaz. Talvez tivesse um problema de audição ou de visão. Mas Arlyn sabia que John estava enganado. Ela e Sam estavam no sítio errado com o homem errado; ela sabia-o agora, mas como podia dizê-lo em voz alta? O erro da situação passara de uma ideia a um facto importante na sua vida. Devia ter esperado. Devia ter ficado onde estava até ter a certeza absoluta do futuro. Não devia ter sido tão tola, tão optimista, tão jovem, tão segura do que estava a fazer.

Quase todos os meses, Arlyn levava Sam no comboio até Long Island. Sam estava numa fase em que se recusava a comer algo mais para além de sanduíches de manteiga de amendoim com doce, por isso Arlie fazia sempre várias para a viagem. Sam adorava o comboio; imitava o barulho e tagarelava sem parar o caminho todo. Arlyn pensou em gravar a sua voz e, depois, apresentar a cassete a John e dizer-lhe: *Aí tens! Não há nada de errado com ele. É tudo por tua causa!* Mas tinha a estranha sensação de que, se John mudasse de opinião e descobrisse que o filho não era um inútil, podia de alguma forma tentar roubá-lo e afastá-la da vida de Sam, por isso Arlie nunca fez essa gravação. Nunca encorajou John a passar mais tempo com Sam. Guardava a sua única fonte de alegria para si própria.

Quando o comboio chegava à estação, desciam a colina até avistarem o porto e os *ferryboats*. Nos dias de vento havia espuma na água e as ondas batiam nas estacas de madeira. Nos dias limpos, tudo parecia vidro, o céu azul e o estreito ainda mais azul, e os contornos meio enevoados do Connecticut, tão longe. Havia outra família a viver na antiga casa de Arlyn. Ela e Sam ficavam muitas vezes na esquina a ver as crianças novas a brincar. Um rapaz e uma rapariga. Jogavam à bola na rua e trepavam ao ácer e apanhavam botões de azálea quando estes desabrochavam e punham as flores vermelhas e cor-de-rosa no cabelo.

Às vezes, a mãe das crianças chamava-as para jantar. Quando saía para o alpendre, reparava numa mulher ruiva com uma criança pequena a observá-los. A nova dona da casa apressava então os filhos a entrarem; punha-se por trás da cortina, a olhar, para se certificar de que não se passava nada de estranho. Uma louca ou uma raptora ou coisa do género. Mas não, os estranhos limitavam-se a ficar parados na esquina, mesmo nos dias frios e ventosos. A mulher ruiva vestia um sobretudo que tinha há anos, grosso, de lã cinzenta, muito pouco elegante. A criança era calma, não uma daquelas que berravam e não ficavam quietas. Um menino sério, de cabelo escuro, e a sua mãe extremosa. Às vezes ficavam ali mais de uma hora, a mulher apontando para as árvores, os pardais, os candeeiros da rua, o alpendre, o rapazinho repetindo as palavras. Riam-se como se tudo fosse maravilhoso neste bairro decrépito. Todos os objectos comuns em que nenhuma pessoa normal se daria ao trabalho de reparar, a menos que se tratasse de uma mulher que achava ter cometido um erro terrível, alguém que voltava uma e outra vez, na esperança de que, se descesse a mesma rua, o destino a fizesse recuar no tempo até ter novamente dezassete anos, quando o futuro era algo onde ainda não entrara, quando era apenas uma ideia, um momento, algo que ainda não a desapontara.

Maio no Connecticut era tão luxuriante, tão verde, que mais parecia um sonho. Papa-figos, tordos-imitadores, lilases, o canto dos pássaros. Numa casa de vidro, o verde estava por todo o lado. Não era preciso carpetes, apenas soalhos de freixo; nem cortinas, apenas os lilases, os rododendros, e metros e metros de buxos, uma sebe de veludo irregular. Tinham ido viver para o Sapato de Cristal depois de o pai de John sofrer o segundo ataque cardíaco e de ele e a mulher se terem mudado para a Florida. Quando William Moody morreu, Diana deixou-se ficar por lá; o tempo quente era melhor para a sua artrite.

Como era estranho que, quase dois anos depois, Arlyn ainda sentisse a falta da sogra. Alguém que gostava do seu filho. Alguém que compreendia que uma pessoa a viver numa casa de vidro podia facilmente ficar obcecada com as coisas mais estranhas: pedras, pássaros que confundiam as janelas com o ar, veados que iam de encontro a portas de correr, granizo, vendavais. O vidro precisava de cuidados constantes, afinal de contas. Salpicos de chuva, seiva peganhenta, folhas caídas, pólen. John contratara uma empresa para lavar as janelas uma vez por semana. Arlyn nunca o fazia bem, pelo menos na opinião de John. Ficavam manchas quando era ela que as limpava; e não conseguia chegar à parte de cima de algumas janelas, mesmo quando ia buscar a escada mais alta à garagem.

O limpa-janelas vinha numa carrinha com o logótipo *Irmãos Snow*. Arlyn ficava muitas vezes a ver — era sempre o mesmo homem, baixo, corpulento, com ar de quem levava o seu trabalho muito a sério. Ela não conseguia deixar de pensar no que teria acontecido ao outro irmão Snow, se teria morrido ou fugido.

Arlyn usava o cabelo ruivo enrolado, preso com travessas. Era um estilo antiquado; achava que a mãe, que morrera quando ela era bebé, costumava usar o cabelo assim. Aos vinte e quatro anos, Arlyn sentia-se velha. Depois de Sam sair de manhã, depois de o acompanhar até à paragem de autocarro onde apanhava o transporte para o infantário, geralmente voltava para casa e enfiava-se na cama, toda vestida. Às vezes, nem se dava ao trabalho de descalçar os sapatos, os velhos sapatos de pele macia que o pai lhe oferecera e que, agora já estavam quase desfeitos. Já mandara pôr solas novas duas vezes, mas a própria pele estava a rasgar-se. Sempre que os usava lembrava-se que, durante todo o tempo em que o pai fora capitão de um *ferryboat*, quase vinte anos, nunca passara uma única noite no Connecticut.

— É um país distante — dizia ele relativamente ao sítio onde ela agora vivia. — As pessoas que têm asas mantêm-nas fechadas, debaixo dos fatos e dos vestidos, mas no momento certo, quando precisam de voar, as asas desenrolam-se e aí vão elas. Nunca se afundam com o barco… levantam voo no último instante. Enquanto todos os outros se afundam no mar, lá vão eles, a subir para as nuvens.

Onde quer que fosse, Arlyn dava por si à procura dessas pessoas, no cimo das árvores, no mercado, em postes telefónicos. Sentia-se leve, de uma forma estranha; desligada das estradas e da relva, de tudo o que havia na terra. Ela, se pudesse, teria escolhido umas asas de corvo, com penas negras azuladas, brilhantes e fortes. Uma vez, subiu ao telhado da garagem e ficou ali, a sentir o vento, a desejar que as histórias do pai fossem verdadeiras. Fechou os olhos até a vontade de saltar lhe passar. Teve de recordar a si própria que o filho chegaria no autocarro da escola às duas, que estaria à espera de a ver e que, independentemente de como se sentisse por dentro, tinha de lá estar à espera dele, com um ramo de lilases que apanhara enquanto descia o caminho.

Sam continuava a surpreendê-la com o quão especial era. Hoje, por exemplo, quando o foi buscar à paragem, dissera-lhe:

— Odeio a escola.

— Não odeias nada. — Seria possível que ela o tivesse feito sentir-se bom de mais, como John a acusava de fazer?

— Temos de nos pôr todos em fila ou não podemos ir para o recreio, e eu não sou como os outros.

— Bem, todos somos pessoas especiais — disse ela a Sam.

— Mas nem todos se aborrecem com as regras.

— Todos temos de fazer coisas que não queremos. — Seria mesmo nisto que queria que o filho acreditasse?

Caminharam até casa de mãos dadas.

— O papá não gosta de mim. — Tinham chegado à curva onde estava o maior arbusto de lilases. Já se conseguia ver o telhado do Sapato de Cristal. Era preciso saber que lá estava para o ver, caso contrário a pessoa veria apenas as nuvens do outro lado.

Podíamos esconder-nos aqui, pretendia Arlie dizer enquanto passavam pelas sebes. *Podíamos nunca mais sair. Pelo menos enquanto as nossas asas não crescessem. Enquanto não pudéssemos voar para longe.*

— Todos os papás gostam dos seus meninos — disse Arlyn.

Sam olhou para ela. Tinha apenas cinco anos e confiava nela, mas agora não parecia tão seguro.

— A sério? — perguntou.

Arlyn acenou afirmativamente. Pelo menos, assim o esperava. Enquanto subiam o caminho de acesso à casa, Arlyn pensou em como estava cansada. Enquanto o pai estivera doente, não dormira uma noite seguida, e depois, quando Sam era bebé, ficava a pé para o vigiar. A exaustão nunca mais a abandonara.

Sempre que ouvia o pai tossir ou gemer, saltava da cama, pronta antes mesmo de ele a chamar. Sabia que o pai a amava; ele mostrava-o na maneira como olhava para ela quando lhe levava água,

23

o tabuleiro com o almoço, ou uma revista para lhe ler em voz alta. Ela sempre tivera o amor do pai como certo; o mesmo não se passava com Sam e o pai dele.

Talvez esta noite Arlyn sonhasse com o pai e ele lhe dissesse o que fazer. Ficar ou voar para longe. Dizer a John o que realmente queria ou continuar como até aqui, a viverem vidas separadas sob o mesmo telhado de vidro, fingindo serem algo que não eram, fingindo que todos os papás de meninos estavam demasiado ocupados para se preocuparem.

Ela e Sam continuaram até o Sapato de Cristal estar mesmo à frente deles. De repente, Arlie apercebeu-se de como odiava aquela casa. Era uma caixa, uma jaula, uma armadilha impossível de abrir.

— Não é um sítio fácil para se viver — dissera-lhe a sogra quando Arlyn se mudara. — Parece atrair os pássaros.

E era bem verdade; no beiral de aço do telhado, um bando de melros piavam como loucos. Oh, iam com certeza sujar tudo. John conseguiria ver a merda e as penas a partir da sala, sempre que olhasse para cima, e ficaria furioso. Mais uma coisa imperfeita, como a própria Arlyn. Arlyn pensou que teria de ir buscar a escada para ir lá acima limpar o vidro, mas depois viu algo estranho. Um homem com asas. Uma das pessoas do Connecticut de que o pai lhe falara. Afinal, essas criaturas existiam mesmo. Arlie sentiu algo agitar-se dentro de si. O homem no telhado estava apoiado só numa perna, como uma cegonha. Um dos irmãos Snow, não o do costume, mas o mais novo, a agitar o casaco, a enxotar os melros todos. Era alto, loiro e jovem.

— Xôô! — gritou ele. Os raios de luz do sol incidiam-lhe no rosto. — Voltem para o céu, que é o vosso lugar!

Arlyn parou sobre a relva e aplaudiu.

Quando o limpa-janelas se virou para ela, ficou tão surpreendido por ver uma mulher ruiva a sorrir-lhe que quase escorregou no vidro. Então Arlyn teria visto se ele conseguia realmente voar ou se, como qualquer mortal, simplesmente cairia e se magoaria.

John Moody saía de casa às seis da manhã e só voltava às sete e meia ou oito, muitas vezes depois de jantar, muitas vezes já não apanhando o filho, que ia para a cama às oito. Não que Sam estivesse necessariamente a dormir; depois de ir para a cama, ficava muitas vezes ali deitado, de olhos bem abertos, à espera do som de pneus sobre a gravilha quando o pai chegava a casa. John estava, regra geral, de mau humor ao fim de uma semana de trabalho, por isso todas as sextas-feiras Cynthia Gallagher, a nova vizinha e nova melhor amiga de Arlyn, vinha jantar com eles. Cynthia tinha os seus próprios problemas com o marido, Jack, a quem tratava por *Jack Daniels*, em referência ao facto de ele beber muito. Arlyn nunca tivera uma melhor amiga e andava entusiasmada com esta nova intimidade. Aqui estava alguém com quem podia ser ela própria.

— Oh, que se foda — gostava Cynthia de dizer quando andavam às compras e algo era particularmente caro e queria encorajar Arlyn a relaxar um pouco. Cynthia tinha uma estrutura óssea delicada; era atraente e vestia-se bem, e não havia dúvida de que sabia praguejar e beber. — Se não nos divertirmos, quem o fará por nós?

Cynthia tinha jeito para animar as coisas. Usava o cabelo castanho cortado a direito pelos ombros e parecia jovem, apesar de ser vários anos mais velha do que Arlyn. Talvez isso se devesse ao facto de Cynthia ser livre. Não tinha filhos e confidenciara-lhe que achava que *Jack Daniels* não era capaz de produzir descendência, embora ele jurasse que tinha feito exames médicos; ele afirmava estar, como Cynthia dizia, positivamente saturado de esperma.

Cynthia era ousada e divertida. Era capaz de acabar com o mau humor de John Moody num instante.

— Vai buscar um copo de vinho e anda cá para fora — dizia-lhe quando ele chegava a casa do trabalho às sextas-feiras, e ele obedecia. Juntava-se a elas no pátio e contava histórias que as faziam rir, sobre os clientes idiotas cuja principal preocupação era, muitas vezes, a quantidade de armários e não o *design*. Quando via John sob a luz de crepúsculo da Primavera, sem casaco e com as mangas da camisa arregaçadas, Arlyn lembrava-se de como se sentira da primeira vez que o vira, quando ele estava perdido e ela tão decidida a encontrá-lo.

John foi à cozinha buscar queijo e bolachas e reabastecer os seus copos.

— E azeitonas, por favor! — gritou Cynthia enquanto ele se afastava. — Céus, adoro o teu marido — disse.

25

Arlyn pestanejou quando ouviu esse comentário. Havia pólen no ar. Olhou para Cynthia: os seus lábios grossos, as pestanas compridas.

— Não dessa maneira! — garantiu-lhe Cynthia quando viu a expressão no rosto de Arlyn. — Acaba com esses pensamentos perversos. Sou tua amiga, querida.

Amigas tão diferentes como a noite do dia. Discordavam sobre política e pessoas, moda e governo da casa. Mais do que tudo o resto, discordavam em relação a Sam.

— Devias levá-lo a fazer exames — dizia sempre Cynthia, só porque ele gostava de estar sozinho e preferia brincar com blocos de construção a fazer amigos, porque não falava na presença de estranhos, por causa da expressão de concentração que Cynthia confundia com uma indiferença estranha e inquietante. — Há qualquer coisa que não está bem. E só te digo isto porque sou tua amiga.

Por fim Arlie levou-o a fazer alguns testes e descobriu que Sam tinha um QI quase de génio. No entanto, havia alguma preocupação em relação a um dos testes; Sam recusara-se a responder à série com as imagens, limitando-se a apoiar a cabeça na secretária do psicólogo e a zumbir, fingindo ser uma abelha. Mas que mal tinha isso? Sam era imaginativo e criativo, demasiado imaginativo e criativo para testes de personalidade estúpidos. E um menino tão pequeno tinha o direito de estar cansado, não tinha?

— Vais ter problemas com ele — avisara Cynthia. — Ele é teimoso. Vive no seu próprio mundo. Espera até ser adolescente. Vai dar contigo em doida. Acredita, eu reconheço sarilhos quando os vejo.

Foi o princípio do fim da amizade de Arlie com Cynthia. Durante algum tempo não deu a entender que estava desiludida, nem mesmo a si própria. Mas o mal estava feito. Arlyn não podia dar valor a alguém que não dava valor a Sam. E agora tirara a venda dos olhos, Arlie não podia deixar de reparar em como Cynthia era atiradiça. De repente, viu a forma como John olhava para a vizinha durante os serões de sexta-feira à noite. As pessoas achavam que Arlie, por ser jovem, sardenta e reservada, era estúpida. Mas não era. Via o que se estava a passar. Via muito bem.

Estavam a jogar um jogo, sentados à mesa no pátio, quando ela compreendeu pela primeira vez o que estava a acontecer. O jogo era *Estou a olhar para uma coisa, o que é?* John fora o primeiro e Cynthia fizera perguntas e adivinhara correctamente. John estava a olhar para o vaso de gerânios vermelhos. Depois foi a vez de Cynthia. Estava a olhar para a gravata de John, de seda cinzenta-clara, a cor dos olhos dele. Estava a ver uma coisa prateada. Uma coisa muito atraente, disse ela. Cynthia parecia um pouco embriagada e demasiado amistosa. Tinha um sorriso no rosto que não devia lá estar, como se soubesse que John Moody a desejava.

Arlyn desviou o olhar. Mesmo que ainda não tivesse acontecido nada, acabaria por acontecer. Arlie olhou para cima e viu que Sam estava à janela do quarto. Ele acenou-lhe com o braço todo, como se fossem as duas únicas pessoas no mundo. Ela soprou-lhe um beijo, pelo ar, através do vidro.

Talvez tivesse sido esse o dia em que Arlyn deixou o seu casamento, ou talvez tivesse acontecido na tarde em que encontrara George Snow no supermercado. Ele estava a comprar maçãs e um pacote de açúcar. O carrinho dela estava cheio de mercearias.

— É isso que come? — perguntou Arlyn. George estava à frente dela na fila para a caixa. — Não tem ninguém que tome conta de si?

George Snow riu-se e disse que se ela fosse ao número 708 de Pennyroyal Lane, dentro de duas horas, veria que ele não precisava que ninguém tomasse conta dele.

— Sou casada — disse Arlyn.

— Não estava a pedi-la em casamento — disse George. — Ia apenas oferecer-lhe uma fatia de tarte.

Ela foi. Ficou em frente do número 708 durante vinte minutos, tempo suficiente para ter a certeza de que não devia entrar. Por fim, George saiu e dirigiu-se ao carro, com o seu *collie*, *Ricky*, ao lado. Aproximou-se da janela entreaberta para falar com ela. Arlyn conseguia sentir o erro que estava prestes a cometer a pesar-lhe no peito.

— Tem medo de tarte? — perguntou George Snow.

Arlyn riu-se.

— Não usei nada artificial, se é com isso que está preocupada — disse George.

— Tinha de o conhecer muito melhor para lhe dizer aquilo de que tenho medo — respondeu Arlyn.

— Está bem. — George não se afastou. O cão deu saltos e ladrou, mas ele pareceu não reparar.

Arlyn saiu do carro. Sentia-se ridiculamente jovem e tola. Nem sequer fora deixar as mercearias a casa antes de ir a Pennyroyal Lane; limitara-se a conduzir, às voltas, como se estivesse à procura de alguma coisa e não se conseguisse recordar de quê, até que dera por si nesta rua. Quando chegou a casa, mais tarde, metade do que comprara no supermercado estava estragado; os pacotes de leite, de queijo fresco e de refresco estavam a pingar. Mas George tinha razão. Fazia uma tarte de maçã fantástica. Ele ouviu-a enquanto ela falou. Fez-lhe uma chávena de chá. Fez todas essas coisas, mas foi Arlyn que o beijou. Foi ela que deu início a tudo e, depois de o fazer, não conseguiu parar.

Às vezes Arlie ia a casa dele em Pennyroyal Lane, mas tinha medo de ser apanhada. O mais frequente era ir de carro encontrar-se com George num parque público junto à praia, enquanto Sam estava na escola. Nunca deixava que a situação interferisse com Sam; nunca deixava que o seu caso com George afectasse Sam, fosse de que maneira fosse. Era a sua vida secreta, mas parecia-lhe mais real do que a sua vida com John alguma vez fora.

Não havia nada de que o *collie* de George gostasse mais do que de correr na praia. Perseguiam as gaivotas, a correr e aos gritos, e depois George atirava pedras para o mar.

— Tenho medo de pedras — confessou Arlyn. Não queria que as coisas se partissem e desfizessem antes de ser absolutamente indispensável. Lembrou-se das pedras que o pai tinha na mesa-de-cabeceira, da ocasião em que quase se afogara. Pensou na casa onde vivia agora, feita de mil janelas.

— Medo de uma pedra? — George riu-se. — Cá para mim, faz mais sentido ter medo de uma tarte de maçã.

George tinha o cabelo mais loiro que Arlyn alguma vez vira e olhos castanhos. A sua família vivia na cidade há duzentos anos; toda a gente o conhecia. Durante algum tempo, ele deixara o negócio da lavagem de janelas para montar uma loja de animais, mas tinha o coração demasiado mole. Vendia alpista e comida para hamster a metade do preço, não tinha jeito para os números e o negócio fracassou. Reabrir a loja de animais era o seu sonho, mas George era um homem prático. Fazia o que era preciso fazer. Era um homem que cumpria com as suas responsabilidades e o irmão pedira-lhe que voltasse para o negócio da família. Era por isso que estava em cima do telhado no dia em que Arlie o conhecera, a trabalhar num emprego que odiava, embora Arlyn acreditasse secretamente que fora o destino que o colocara lá. O seu verdadeiro destino, aquele que se extraviara na noite em que John Moody se perdera, o futuro que lhe estava destinado e que possuía agora, pelo menos durante algumas horas por semana.

Quando Arlyn ia à lavandaria ou aos correios, quando ia fosse onde fosse, apetecia-lhe gritar: *Estou apaixonada pelo George Snow*. Muito provavelmente toda a gente a felicitaria — George era uma pessoa bem considerada. *Ainda bem para si!*, diriam. *Um excelente homem. Muito melhor do que o filho da mãe com quem está casada. Agora pode corrigir tudo o que está errado na sua vida!*

Ela não conseguia afastar-se de George. Quando faziam amor no banco traseiro da carrinha dele, ou na sua casa em Pennyroyal Lane, Arlyn não podia deixar de perguntar a si própria se ele seria uma daquelas pessoas do Connecticut das histórias do pai, que tinham poderes surpreendentes. Mas sabia que essas pessoas esperavam sempre até ao último instante, até o barco estar a afundar-se ou o edifício em chamas, para se revelarem e voarem para longe. Era impossível saber se podiam ou não levar alguém consigo, até esse momento extremo em que não restava outra escolha senão a fuga.

Embora Arlie nunca se tivesse imaginado como o tipo de mulher capaz de ter um amante, mentir era mais fácil do que ela julgara. Dizia que ia ao supermercado, aos correios, a casa de uma vizinha, à biblioteca. Era simples, na verdade. Levava consigo uma escova para que nenhum dos pêlos compridos do collie de George ficasse agarrado às suas calças ou saia, denunciando-a. Não que John andasse à procura de provas da sua traição; na maior parte do tempo nem sequer olhava para ela. Sempre que Arlyn pensava em George, enquanto preparava os ovos para o pequeno-almoço de Sam ou juntava as folhas secas no jardim, não sorria, a menos que tivesse a certeza de estar sozinha. Nessas alturas, ria-se alto. Pela primeira vez em muito tempo, sentia-se uma mulher de sorte.

A única pessoa que sabia era Steven Snow, o irmão mais velho de George, e apenas por acaso. Steven surpreendera-os na cama, quando entrara gritando:

— Eh, Geo! Devias estar a trabalhar em casa dos Moody, levanta esse traseiro preguiçoso da cama!

Steven estacara à porta do quarto enquanto eles se afastavam um do outro. Viu o cabelo ruivo de Arlyn, os seus ombros brancos, e o irmão mais novo a puxar o lençol para a tapar.

George e Arlyn vestiram-se e foram para a cozinha, onde Steven estava a beber uma chávena de café instantâneo. Tinham passado três meses desde o dia em que ela vira George pela primeira vez, no telhado. Agora, já estavam demasiado apaixonados para se sentirem embaraçados.

— Isto é um grande erro — disse Steven ao irmão. E depois, sem olhar directamente para Arlyn, acrescentou: — Para os dois.

Eles não se importavam. Ninguém tinha de saber, à excepção de Steven, que não falava muito com ninguém e era um homem reservado e de confiança. Prosseguiram com a sua vida secreta, a vida que Arlie imaginara em tempos, enquanto aguardava, de pé, no alpendre da sua antiga casa. À medida que o tempo passava, começaram a fazer loucuras. Pensavam que eram invisíveis? Que ninguém perceberia? Foram nadar nus no lago ao lado da quinta de gado leiteiro. Fizeram amor na casa dos Moody, na cama de Arlyn e John, rodeados por todo aquele vidro, sujeitos a serem vistos por alguém, pelos pássaros que esvoaçavam sobre a casa, pelo homem a arranjar os telefones, por qualquer pessoa. Após algum tempo, Arlyn esqueceu-se de esconder como estava feliz. Cantava enquanto recolhia as folhas; assobiava enquanto percorria os corredores do supermercado à procura de espargos e pêras.

E depois, uma manhã, quando voltava a casa depois de levar Sam ao autocarro, Arlyn encontrou Cynthia, que andava a fazer *jogging*. Arlie habituara-se já a evitar a sua ex-amiga. Se é que alguma vez fora realmente uma amiga, algo de que agora duvidava. Todos aqueles olhares entre Cynthia e John. Uma mulher com os seus próprios segredos não precisava de uma aliada que não fosse digna de confiança. Arlie escondia-se na casa de banho se Cynthia passava por lá. Quando Cynthia telefonava, Arlie arranjava desculpas, muitas vezes ridículas — tinha uma farpa no pé, estava tonta por causa do calor, perdera a voz e tinha de pedir desculpa num sussurro desafinado. Quanto às reuniões de sexta-feira, já não havia razão para se sujeitar a essas farsas. Na verdade, Arlyn inscreveu Sam em aulas de flauta às sextas-feiras; passar horas na sala de espera da escola de música a ouvir a cacofonia dos estudantes era preferível a ver Cynthia.

— Ora, quem é vivo sempre aparece — disse Cynthia quando se encontraram no caminho.

— Tenho andado tão atarefada. — Arlyn soava falsa, até mesmo a si própria. Olhou para a estrada. Desejou poder começar a correr, passar pelo Sapato de Cristal e seguir até casa de George, um sítio onde podia ser ela própria, mesmo que apenas por pouco tempo. Estava a tremer, apesar de o dia estar quente. Não gostava da expressão de Cynthia.

— Aposto que tens andado atarefada, sim. — Cynthia riu-se. — Adivinha o que um passarinho me disse a teu respeito? Na verdade, os passarinhos andam todos a falar de ti.

Arlie gostava ainda menos de Cynthia do que alguma vez julgara possível. Tudo em Cynthia era repelente: o seu bronzeado, a *T-shirt* branca, os ténis de corrida azuis, o cabelo escuro preso num rabo-de-cavalo.

— Parece que não és tão boazinha como finges ser — continuou Cynthia. — Apesar de já não sermos amigas, nunca pensei ser a última a saber.

— É evidente que estás enganada. — Arlie sentiu algo agitar-se dentro de si. Um pânico, um frémito, uma mentira.

— Estou? Toda a gente vê a carrinha do George Snow estacionada em frente à tua casa. Tens sorte por eu não ter dito nada ao John.

— Não te faças tão superior — disse Arlie. — Desde o princípio que andas atrás do John. Achas que sou estúpida?

— Por acaso, acho. A única coisa que fizemos foi namoriscar. Ao contrário de ti e do George. Ouvi dizer que o costumas comer no banco de trás da carrinha, num parque de estacionamento ao pé da praia.

Arlyn sentiu-se tonta. Seria realmente esta a mulher que fora a sua melhor amiga, a mulher em quem confiara, que convidara para sua casa todas as sextas-feiras?

— Se eu mandasse lavar as minhas janelas tão frequentemente como tu mandas lavar as tuas, o vidro já estaria gasto — disse Cynthia. — Mais cedo ou mais tarde vais ser apanhada, queridinha.

Ela não queria enfrentar John no tribunal, num divórcio. Ele podia tentar tirar-lhe tudo aquilo que ela amava, apenas por despeito. Até mesmo Sam. Então o que havia de fazer? Arlie devia ter ficado ainda mais pálida, as sardas destacando-se como cicatrizes de varicela. Pensou na guerra que John seria capaz de travar se estivesse suficientemente zangado, se Cynthia alimentasse a sua fúria. Arlie começou a imaginar uma batalha pela custódia, um menino perdido.

— Não te preocupes, não lhe contei. — Cynthia parecia ser capaz de lhe ler os pensamentos. — Ele não está em casa tempo suficiente para reparar, pois não? Mas todas nós, as mulheres da vizinhança, estamos a controlar tudo. Encontramo-nos uma vez por semana para discutir os teus progressos enquanto mentirosa. Quem havia de dizer? A pequena Arlie. Aproveita enquanto podes. Tenciono estar disponível para o John quando ele precisar de mim. Quando isso acontecer, estarei na porta ao lado.

— Tenho de ir para casa. — Arlyn virou-se e começou a andar.

— Vai, vai — disse Cynthia. — Fode o teu lavador de janelas tanto quanto quiseres. Mas não venhas chorar no meu ombro quando for tudo por água abaixo.

Os primeiros sinais de derrocada surgiram sob a forma de uma racha na janela. Certa noite, começou a chover no corredor do piso de cima.

— Ninguém reparou nisto? — gritou John. — Para onde é que andam a olhar aqueles lavadores de janelas?

Havia vários painéis partidos no tecto, um deles no quarto de Sam. Era um descuido perigoso. John despediu os irmãos Snow no dia seguinte, apesar de Steven Snow insistir que não tinham sido contratados para fazer trabalho estrutural. Depois de ameaçar os Snow com um processo, John contratou uma equipa para substituir os vidros partidos e encontrou um novo serviço de limpezas, que se responsabilizaria também pelo trabalho de jardinagem. Já não havia pretexto para a carrinha de George ser vista perto da casa. No entanto, ele continuou a aparecer, apesar de Arlie lhe ter dito para telefonar, de modo a ir ter com ele à praia. Não conseguia estar longe dela. Uma vez, apareceu numa bicicleta que pedira emprestada ao filho de um vizinho. De outra vez, estava à espera dela atrás dos buxos e, quando Arlie saiu para apanhar o jornal, uma mão agarrou-a e puxou-a para a sebe. Ali estava ele, George Snow.

Arlie começou a ficar preocupada. O destino tinha uma forma curiosa de se vingar de uma pessoa quando esta era egoísta e imprudente, e talvez fosse isso que estavam a ser.

— Aquele não é o homem das janelas? — perguntou Sam quando passaram pela carrinha de George, estacionada na curva do caminho, um dia quando regressavam a casa vindos da paragem do autocarro.

— Deve estar a trabalhar para outra pessoa qualquer — disse Arlie em tom animado.

— Ele está a olhar para ti de maneira estranha — disse Sam.

Cynthia enganara-se na avaliação que fizera do rapaz; não havia criança mais inteligente do que Sam.

— Talvez esteja a estranhar não lhe dizermos adeus — disse Arlie.

Ela e Sam viraram-se e acenaram com as duas mãos.

— Olá, homem das janelas! — gritou Sam.

A carrinha arrancou e afastou-se.

— Ele não nos disse adeus — disse Sam, erguendo os olhos para a mãe.

— Vamos beber um chocolate quente — disse Arlie. Estava a chorar, mas havia muito vento e achava que Sam não conseguia perceber. Tinha de se decidir, apercebia-se agora. Era estúpido pensar que podia ter as duas coisas. Mas, se deixasse John, correria o risco de perder Sam?

— Tu não gostas de chocolate quente — disse Sam, perguntando a si próprio se seria por isso que ela chorava.

— Às vezes gosto — respondeu Arlie.

Como podia ela ser mãe de alguém e ser tão egoísta? Depois da conversa com Cynthia, abriu os olhos. Viu a forma como as pessoas olhavam para ela no supermercado. Fazia as compras a correr; depois, no parque de estacionamento, Sue Hardy, que vivia ao fundo da rua, viera ter com ela e dissera:

— Estou a dizer-te isto apenas como boa vizinha: toda a gente anda a falar sobre ti e o George Snow. Estou só a avisar-te, Arlie. Ele não é o homem invisível.

Arlyn telefonou a George nessa noite, depois de John ter ido para a cama. Sentada na cozinha escura, iluminada apenas pelas estrelas, disse-lhe que achava que era melhor afastarem-se durante algum tempo.

— Porque havíamos de fazer isso, Arlie?

— Não venhas cá — dissera-lhe Arlie, por fim. — Não posso continuar a correr este risco.

Na cama, olhando para John a dormir, teve medo daquilo em que se tornara. Nunca fora pessoa de mentir e enganar; achava que essas acções eram venenosas e erradas.

— O que é? — disse John, quando acordou e a viu sentada na cama. Arlie parecia ter cem anos.

— Alguma vez tiveste dúvidas de que estávamos mesmo destinados um para o outro?

— Meu Deus, Arlie. — John riu-se. — É isso que não te deixa dormir? — Ele já deixara de pensar nisso. Enganara-se numa curva e aqui estavam eles, anos mais tarde, na cama. — Vai dormir. Esquece essas coisas. Esses pensamentos não te fazem nada bem.

Para variar, Arlyn achou que John tinha razão. Fechou os olhos. Faria o que tinha de fazer, fosse qual fosse o preço a pagar.

Deixou de atender o telefone quando sabia que era George que lhe ligava. Olhava lá para fora para o céu e, passado algum tempo, o telefone deixou de tocar. Mantinha-se ocupada. Começou a tricotar. Fez uma camisola para Sam, decorada com uma fila de pássaros azuis. Um dia, chegou a casa do supermercado, com Sam, e viu a carrinha de George à sua porta. George não estava atrás do volante. Estava mesmo à porta da casa, sentado ao lado dos buxos. Arlie sentiu o coração enlouquecer, mas disse calmamente a Sam: — Consegues levar um destes sacos?

Entregou a Sam o saco de compras mais leve e tirou os outros dois do banco de trás do carro.

— Está ali o lavador de janelas — disse Sam. Acenou a George e este devolveu o aceno.

Arlie pegou no saco e disse a Sam para ir jogar à bola. George Snow levantou-se. Tinha relva na roupa; estava ali sentado há muito tempo, à espera.

Arlyn disse-lhe que não podia continuar a vê-lo. Se tivesse de escolher, escolheria sempre Sam. O filho estava a atirar uma bola contra a porta da garagem. Ela pensara que a presença de Sam manteria a conversa com George civilizada, mas, quando lhe disse que estava tudo acabado, ele pôs-se de joelhos.

— Levanta-te! Levanta-te! — gritou Arlyn. — Não podes fazer uma coisa destas!

Embora Sam raramente prestasse atenção aos adultos, não havia dúvida de que estava a olhar para eles agora. Um homem alto de joelhos. A bola com que Sam estava a brincar rebolou para o caminho de acesso à casa e desapareceu debaixo de um rododendro.

— Podemos ir-nos embora, desaparecer — disse George Snow. — Podemos ir agora mesmo.

Ele fazia com que parecesse tão fácil, mas claro que era Arlyn que tinha algo a perder. E a criança que olhava para eles neste momento, a quem amava mais do que a qualquer outra pessoa? E o homem a quem, insensatamente, prometera o seu futuro?

— George — disse. — Estou a falar a sério. Levanta-te!

Ele levantou-se e olhou para ela. O casaco esvoaçava atrás de si. Era tarde de mais. Viu-o no rosto dela. Limpou os olhos com a manga do casaco.

— Não acredito que vais fazer isto — disse.

Beijou-a antes que ela conseguisse dizer-lhe que não o fizesse. Não que tivesse vontade de o impedir. Beijou-a durante muito tempo, depois dirigiu-se à carrinha. Sam acenou-lhe e George Snow acenou também.

— O que se passava com os olhos dele? — perguntou Sam mais tarde, quando a mãe o estava a deitar.

— Tinham fuligem — disse Arlie. — Agora vai dormir.

Nessa noite, quando John chegou a casa, chamou por ela em voz alta. O primeiro pensamento de Arlyn foi: *Ele sabe! Alguém lhe contou! A Cynthia contou-lhe! Agora posso fugir!* Mas não era nada disso. Entrou na cozinha e John estendeu as mãos fechadas. Era o aniversário de Arlyn. Ela esquecera-se completamente. Fazia vinte e cinco anos.

— É para mim? — perguntou Arlyn.

— Não imagino para quem mais poderia ser — disse John. — Vamos ver o que é.

Abriu as mãos e exibiu um colar de pérolas macias, da cor de camélias. A primeira coisa bonita que John alguma vez lhe comprava. Esperara até agora. Até ela já não ter qualquer interesse.

— Devia fazer anos mais vezes — disse Arlie.

Só quando estavam na cama é que John lhe disse que encontrara as pérolas.

— Oh, não fiques zangada — disse John. — Sabes que eu nunca me lembro das datas. Pelo menos tiveste sorte no teu dia de anos! Não é o marido de qualquer mulher que encontra um tesouro. Estavam debaixo dos buxos. Talvez estivessem ali há cem anos.

Era como se as pérolas tivessem crescido à porta da sua casa, sementes plantadas na terra, nascendo de um branco leitoso como o interior de uma cebola. Arlie pô-las ao pescoço. O idiota do John que pensasse que tinham aparecido por magia, brotando da terra ou caídas do céu, das garras de um falcão de asas vermelhas. Deixou John prender o fecho apesar de serem quase de certeza um presente de outro homem, o homem que ela amava. Mas já não tinha importância. Ela fizera a sua escolha e, mesmo que vivesse cem anos, não se arrependeria dela.

A sua escolha seria sempre Sam.

Sam Moody não era como as outras pessoas. As coisas em que pensava mais vezes eram pratos, ossos, jarras, modelos de aviões, edifícios construídos com blocos — coisas que se podiam partir. Fazia secretamente coisas que ninguém sabia. Partia coisas para ouvir o som que faziam quando se despedaçavam. Punha fuligem e cola nos melhores sapatos do pai. Coleccionava coisas mortas — escaravelhos, ratos, traças, um coelho bebé. Apanhava os pardais que caíam no relvado, aqueles que batiam nas janelas e mergulhavam para a morte. Via-os todos transformarem-se nos seus últimos elementos — pó ou osso — e depois colocava-os numa caixa de cartão escondida no fundo do armário. Borrifava o ar com o perfume da mãe para que tudo cheirasse a decomposição e jasmim. À noite, para adormecer sem ter pensamentos assustadores, Sam espetava um alfinete nos dedos. Sentir dor era mais fácil do que ter maus pensamentos.

Tentava sonhar com cães — eram reconfortantes, bem como dar a mão à mãe. Tinha a sensação de que algo terrível estava prestes a acontecer. As outras pessoas também pensariam assim? Durante as horas que passava na escola, isso estava sempre presente: essa coisa terrível, invasora, desconhecida. Procurava-a no recreio enquanto os outros rapazes e raparigas estavam nos baloiços ou a jogar à bola. Andava sempre à procura de coisas mortas. Traças, minhocas, a pata de um esquilo, tão mirrada que parecia o laço do rabo-de-cavalo de uma rapariga. Acreditava em sinais. Estava certo de que, se lhe acontecesse algo de bom, tudo o resto seria bom, mas se encontrasse mais uma coisa morta seria o seu fim, de uma forma profunda e desconhecida.

A coisa boa aconteceu inesperadamente. Ele e a mãe saíam muitas vezes em aventuras quando era mais pequeno; depois a mãe começara a ficar muito ocupada. Agora estava novamente disponível. Sem mais nem menos, ela perguntara-lhe se se importava de faltar à escola e claro que respondera que não se importava nada. Num instante estavam no carro, a caminho de Bridgeport. Sam tinha esperança que estivessem a fugir definitivamente. Nada do que ele fazia estava bem, aos olhos do pai. O pai já nem precisava de dizer nada. Os maus sentimentos tinham passado da mente de John Moody para a de Sam. Quando entraram no *ferry*, a mãe soltou o cabelo; era tão ruivo e bonito que as pessoas se viraram para olhar. A água estava agitada e a mãe de Sam aproximou-se da amurada; pediu desculpa e vomitou para o estreito de Long Island. Um arranco e um som agoniante. Sam sentiu-se mal por ela. Se o pai estivesse ali, ficaria irritado e embaraçado por as pessoas estarem a olhar para ela. O pai não compreenderia que as pessoas não estavam a olhar apenas por ela estar maldisposta; estavam a olhar porque era linda.

— Preciso de beber um pouco de água — disse a mãe. Estava tão pálida que as sardas se destacavam no seu rosto, como acontecia quando estava perturbada ou não tinha dormido bem. Sam pensou que talvez lhe estivessem a dizer alguma coisa, mas não compreendia a linguagem das sardas.

Quando a mãe se começou a sentir melhor entraram e foram ao bar; a mãe bebeu um copo de água e ele pediu batatas fritas. A mãe recordou-lhe que costumavam fazer viagens de comboio quando ele era bebé e ele disse que se lembrava, embora não fosse completamente verdade. Um homem que passava perguntou à sua mãe se se sentia bem e ela disse: *Sim, obrigada pela sua simpatia*. E, por alguma razão, Sam teve vontade de chorar quando ela o disse. Mas já estava na pré-primária. Era demasiado crescido para essas coisas. Demasiado crescido para chorar. Deitou-se no banco com a cabeça no colo da mãe. A meio do estreito, o *ferry* fez soar a buzina de nevoeiro e eles saíram para a coberta.

— Lambe os lábios — disse-lhe a mãe. Quando o fez, sentiu o gosto das batatas fritas, mas disse-lhe que sentira o sabor do sal do mar.

Saíram no terminal dos *ferryboats* e desceram a rua de mãos dadas. A mãe de Sam disse-lhe que o seu avô fora capitão do *ferry* e que era um homem forte e corajoso. As casas aqui pareciam velhas. Quando pararam e ela disse, *Vínhamos aqui muitas vezes, lembras-te?*, ele não se lembrava. A casa onde Arlyn crescera tinha sido vendida várias vezes desde que ela partira e, de cada vez, tornara-se um pouco mais decrépita. Arlyn sempre mantivera a distância, mas agora sentiu um desejo avassalador de a ver por dentro. Subiu o caminho e bateu à porta; apresentou-se à mulher que ali vivia agora como Arlyn Singer, apesar de Sam saber que o nome da mãe era Moody, como o dele.

— Vivi aqui — disse ela à mulher, que era velha e estava de chinelos, mas que, apesar disso, os convidou a entrar.

Limparam os pés a um tapete. Era uma casa pequena, com lambris de madeira branca até meio da parede e papel daí para cima. Havia pavões no papel de parede, azuis, roxos e verdes. Sam observou-os de perto; quando pestanejava, parecia que eles estavam a sacudir as penas.

— Aquela é a mesa da sala de jantar da minha mãe — disse Arlie. A mesa de mogno que eles nunca usavam. — Deixei-a ficar. Ela morreu quando eu era muito pequena.

Sam não gostou nem um bocadinho dessa conversa.

— É melhor irmos para casa — disse à mãe.

— Suponho que sim. — Mas, quando Sam lhe pegou na mão e a puxou, ela não se mexeu. — Céus — disse à mulher que vivia agora na casa —, ver a mesa da minha mãe fez-me sentir como se tivesse outra vez dezassete anos.

— Oiça, se quer aquela mesa velha, leve-a — disse a dona da casa. — É lixo, de qualquer maneira. Mas não pense que lhe vou pagar um cêntimo por ela, se foi disso que veio à procura!

— Oh, não! Não foi por isso que vim aqui!

Arlie sentou-se e desatou a chorar, ali mesmo, à frente de uma estranha. A cadeira de mogno estava velha e rangeu sob o seu peso. Arlie estava a soluçar de uma forma que assustou Sam e ele começou a chorar também.

— Vai lá para fora brincar — disse-lhe a mulher que vivia na casa. — Não saias do quintal.

Sam saiu, mas olhou para dentro pela janela. A mulher que eles não conheciam podia ser uma bruxa, afinal de contas. Nunca se sabia. O interior de uma coisa era muitas vezes completamente diferente do exterior. Mas, através do vidro, Sam viu a mulher dar um copo de água a Arlie; Sam pensou que provavelmente estava tudo bem. Podia afastar-se um pouco, que a mãe estaria em segurança.

O quintal era contíguo a um grande campo de ervas altas e flores amarelas. Era bonito, mais bonito do que o quintal de terra e cimento, por isso foi dar uma vista de olhos, penetrando na erva que era tão alta como a sua cabeça. Estava à procura de algo, mas não sabia o que era. Pensou que o mesmo se aplicava ao motivo pelo qual a mãe decidira ali ir. À procura de uma mensagem que mais ninguém poderia compreender.

Viu-o pelo canto do olho. Uma coisa pequena, toda enrolada. Se estivesse morta, a mensagem era clara: a tal coisa terrível estava prestes a acontecer. Se estivesse viva, talvez ele ainda tivesse uma hipótese. Era um esquilo bebé, uma coisinha minúscula que se afastara do ninho. Sam inclinou-se e inspirou o cheiro a terra e ervas. Tocou no esquilo e ele soltou um pequeno som. Ainda estava vivo.

— Encontrei-te — disse Sam num murmúrio. Talvez, afinal de contas, tivesse sorte. Talvez as coisas terríveis não acontecessem.

Ouviu a mãe a chamar por ele, primeiro com voz forte, depois num tom de pânico, como se pensasse que ele tinha flutuado para o ar no vento de oeste, em direcção ao mar, de volta ao Connecticut. Não queria falar enquanto não acabasse o que estava a fazer com a sua boa sorte. Pegou cuidadosamente no esquilo e colocou-o no bolso do casaco, onde havia migalhas de bolacha e uma uva já seca.

— Sam! — gritou Arlyn, como se estivesse a morrer sem ele.

Ela estava no quintal atrás da casa, não muito longe, mas o campo era maior do que Sam julgara, as ervas tão altas que não a conseguia ver. Só via o telhado e a chaminé da casa que, em tempos, fora a dela. Correu por entre as ervas, primeiro confuso, mas conseguindo seguir o som da voz da mãe. Tinha um grande sorriso no rosto mas, quando chegou ao pé da mãe, ela segurou-o pelos ombros, zangada.

— Nunca mais me faças uma coisa destas! — gritou. Tinha o rosto vermelho, quente e molhado das lágrimas. O seu cabelo estava enrodilhado por causa do vento e Sam percebeu que ela não tinha encontrado aquilo que procurava dentro da casa. Ao contrário do que acontecera com ele.

Arlie caiu de joelhos e agarrou-o com força.

— És tudo para mim.

Sam acariciou desajeitadamente o cabelo, que parecia todo ensarilhado. Ela trazia sempre um colar de pérolas brancas ao pescoço. Ela sempre o amou, acontecesse o que acontecesse.

Regressaram ao *ferry* e sentaram-se. Enquanto estavam a ir para casa, ele mostrou-lhe o que encontrara. O pequeno esquilo parecia aturdido.

— Não sei se sobreviverá — disse Arlyn. — Precisa da mãe.

Um homem sentado perto deles disse para lhe darem pão molhado em leite e para o manterem quente. Mandaram vir uma sanduíche e leite, misturaram tudo e, quando ofereceram ao esquilo bebé, ele comeu um pedacinho. Depois, Arlie enrolou-o no seu cachecol. Tinham o carro estacionado no parque dos *ferryboats*, mas, em vez de entrarem e seguirem logo para casa, Arlyn levou Sam ao café para lhe dar uma guloseima. O esquilo estava a dormir no bolso dele.

— Darias um bom irmão mais velho — disse Arlyn.

— Acho que não. — Sam estava a falar a sério.

— Sei que sim — insistiu Arlyn.

Eram os únicos clientes no café. Para variar, Sam não tinha a sensação que se apoderava dele quando precisava de espetar o alfinete no dedo para afastar os maus pensamentos. Sentia-se feliz, ali no café, a beber chocolate quente enquanto a mãe bebia uma chávena de chá. Quando chegasse a casa, ia pôr o esquilo bebé numa caixa grande que usava para guardar os blocos. Ficaria de vigília a noite toda, tentando mantê-lo vivo.

— Talvez desse — disse, para agradar à mãe.

— Mas serás sempre tudo para mim — disse Arlyn. — Mesmo que tivesse mais vinte filhos, tu serias sempre o primeiro.

Um homem entrou e pediu comida e o cozinheiro pôs a placa a aquecer. O cozinheiro partiu três ovos, com uma grande facilidade, *crack, crack, crack*. Já não eram os únicos clientes.

— Vais ter vinte filhos? — perguntou Sam.

Pensou se o pai saberia onde eles estavam. Se teria telefonado para a escola, ou para a polícia, ou para a vizinha, Cynthia, que Sam detestava. Cynthia achava que as crianças não conseguiam ouvir as conversas que não lhes eram directamente dirigidas, mas Sam ouvia tudo.

— Só mais um — disse Arlyn. — Acho que será uma menina.

— Como vamos chamar-lhe? — Sam estava também a pensar em nomes para o esquilo. *Nuts, Baby, Good Boy, Sam Junior.*

— Blanca — disse Arlyn.

Sam ergueu os olhos para a mãe. Ela já decidira. Ele adorava o som desse nome, soava misterioso.

— Porquê Blanca?

— Porque significa branca como a neve — disse Arlyn. — Ela será um bebé do inverno.

No caminho para casa, Sam pensou na neve a cair. No Inverno, o seu esquilo já estaria saudável e crescido e Sam levá-lo-ia de volta através do estreito, no *ferry*, para o campo onde a erva era tão alta e diria: *Vai. Corre o mais depressa que puderes. Volta para casa, onde é o teu lugar.*

Nunca agradeceu a George o presente de aniversário que lhe deixara, mas andava sempre com as pérolas à volta do pescoço, um testemunho daquilo que, em tempos, haviam tido e daquilo que, sem que George soubesse, estavam prestes a ter. As pérolas que Arlie usava tinham adquirido um leve tom amarelado nos primeiros dias da sua gravidez, quando estava tão ansiosa com medo de ser descoberta que não conseguia comer nem dormir.

Quanto a John Moody, não tinha motivo para duvidar dela; acreditava que a criança que estava prestes a nascer era sua. Quando Arlie deixou de se preocupar, as pérolas voltaram a ser de um branco puro e egípcio. Apesar disso, foi uma gravidez difícil. Arlyn andava sempre enjoada, cansada, à beira das lágrimas. Mas, no nono mês, tornou-se menos macilenta, quase sadia, e as pérolas adquiriram uma tonalidade rosa. Rosa como o interior de uma orelha, rosa como a luz de inverno. Era Janeiro, uma estação dura e fria, mas a presença de Arlyn era agora tão calorosa que parecia aquecer qualquer sala onde entrasse. O seu cabelo ficou mais escuro, de um vermelho cor de sangue. As sardas que odiava praticamente desapareceram. As pessoas nas lojas paravam para lhe dizer que estava radiante; ela ria-se e agradecia.

Não deveria sentir-se assolada pelo sentimento de culpa por aquilo que fizera? Pois bem, não se sentia. Ela própria se surpreendia com os seus sentimentos. À noite, quando John estava a dormir, Arlyn sentava-se junto da janela a ver a neve cair suavemente e pensava: *Estou feliz.* Era um momento feito de vidro, esta felicidade; nada seria mais fácil de quebrar. Cada minuto era um mundo, cada hora um universo. Arlie tentou abrandar a respiração, pensando que poderia abrandar o tempo, mas sabia que estavam todos a precipitar-se para a frente, fizesse o que fizesse. À noite, lia histórias a Sam. Deitava-se ao lado dele na cama e sentia o corpo do filho junto do seu, a forma da sua anca, a perna, os seus pezinhos. Ele cheirava a cola e a lealdade. Nesta altura, Arlyn já sabia que ele não era como as outras crianças. Havia mais problemas na escola — ele não escutava, não se comportava devidamente; muitas vezes parecia estar no seu próprio mundo, desligado, não fazia os trabalhos de casa, ignorava os convites para festas. Não tinha amigos que viessem brincar com ele. Não participava nas actividades desportivas depois das aulas. Os relatórios dos professores não eram positivos. Apesar disso, à noite, quando Arlie lia para ele, Sam também estava feliz. Ambos estavam. O esquilo sobrevivera e chamava-se *William*. Vivia agora no armário, num ninho de jornais rasgados, trapos e cascas de amendoim, roendo o estuque das paredes, mordendo a madeira do chão, saindo para brincar à tarde, depois da escola.

William era o segredo que os dois partilhavam — John Moody não fazia ideia da existência do esquilo. Era mais um exemplo do pouco que ele sabia sobre a vida familiar. A mulher e o filho podiam ter um tigre numa jaula, uma raposa na cave, uma águia-careca a fazer o ninho ao lado da máquina de lavar roupa, e John não teria dado por nada. Arlyn não se lembrava da última vez que John entrara no quarto do filho para lhe dizer boa-noite, ou da última vez que falara com ela sem ser para lhe perguntar onde estava a pasta ou se podia preparar-lhe o pequeno-almoço. Quanto à gravidez, não parecia significar mais para ele do que o estado do tempo nesse dia, um facto da vida, nem bom nem mau, nem alegre nem lamentável.

John estava ocupado, demasiado ocupado para eles, esses palermas que perdiam tempo com esquilos, livros e felicidade. Estava a trabalhar num grande projecto em Cleveland — uma torre de vidro, com trinta andares, maior e melhor do que o Sapato de Cristal ou qualquer outro dos edifícios do pai. John passava a maior parte da semana no Ohio e estava exausto quando apanhava o avião para vir passar o fim-de-semana a casa; queria apenas paz e sossego.

— Ele vai mudar — dizia a sogra de Arlyn quando telefonava.
— Os homens Moody são muito melhores pais de adolescentes do que de crianças.

Arlyn riu-se e disse: — Está sempre a defendê-lo.

— Não farias o mesmo? — perguntou Diana.

— Com certeza.

Claro que Arlyn defenderia o filho, acontecesse o que acontecesse. Essa era provavelmente a razão pela qual Diana gostara da nora desde que a conhecera, quando Arlie, uma rapariga de dezassete anos que não fora convidada, lhe batera à porta das traseiras. Arlyn podia parecer pacífica, mas havia também nela uma ferocidade que Diana apreciava.

— Como está o meu neto brilhante? — perguntava sempre Diana, quando falavam.

— Continua brilhante — informava Arlie.

Neste ponto, estavam sempre de acordo. Arlyn estava agora a ler a Sam toda a série de Edward Eager, histórias que tinham lugar no Connecticut. Já iam em *Half Magic*, na qual os desejos realizados nunca corriam exactamente como planeado. *William*, o esquilo, que fora levado ao veterinário para ser vacinado, ficava empoleirado na coluna da cama a ouvir, emitindo de vez em quando pequenos ruídos, usando os dentes para transformar a coluna da cama em serradura.

— Importas-te de estar gorda? — perguntou Sam uma noite, quando ela estava a aconchegá-lo.

— Nem um bocadinho — disse Arlyn. Na verdade, era uma sorte; John Moody nem se aproximava dela. Riu-se entre dentes.

— Eu não me sinto como as crianças dos livros se sentem. Elas têm esperança. Eu acho que está prestes a acontecer alguma coisa má.

Sam tinha olhos grandes e encantadores. Quando estava aninhado na cama, ninguém diria que era o terror que os professores diziam que era, o menino que se trancava dentro do armário dos casacos ou que desenhava nas paredes com lápis e canetas.

— Mas tu és uma criança real e elas são ficção. — Arlyn pôs a mão na testa de Sam para verificar a temperatura.

— Quem me dera ser ficção — disse Sam.

— Bom, eu gosto de ti como tu és. — Arlyn abraçou-o e deu-lhe as boas-noites.

— E o *William*? — perguntou Sam.

Arlyn riu-se e fez uma festinha ao esquilo, depois colocou-o na sua caixa.

— Bons sonhos para ambos — disse.

Arlyn dormia com as pérolas, gostava de sentir o calor delas à volta do pescoço. As pérolas eram feitas de matéria viva, por isso continuavam a viver. Ouvira dizer que George Snow estava a trabalhar em New Haven, que ele e o irmão tinham dissolvido o negócio depois do confronto com John Moody. Na verdade, os novos lavadores de janelas tinham revelado não ser de confiança; eram bastante medrosos e recusavam-se a subir ao topo do Sapato de Cristal quando estava mau tempo. As janelas da casa estavam embaciadas por fora, manchadas pelo gelo. Quando Diana chegou para ajudar, à medida que a hora do nascimento do bebé se aproximava, queixou-se de que a casa estava imunda. As divisões eram demasiado grandes, a casa era demasiado grande para Arlyn a conseguir limpar sozinha. Quanto ao quarto de Sam, cheirava a amendoins e a terra. Pior ainda, o menino que Diana tanto adorava era agora um rapazinho taciturno de seis anos. Sam não falava com a avó. Era reservado e tímido.

— O que se passa com ele? Oiço-o a falar sozinho quando passo pelo quarto dele.

— Não se passa nada — disse Arlie. — Simplesmente não é como os outros.

— Valha-me Deus — disse Diana. — Ele tem sérios problemas de comportamento. Pobre menino. Onde está o John, no meio de tudo isto?

— Em Cleveland.

— Compreendo — disse Diana.

Os homens Moody, garantiu Diana à nora, podiam ser desligados, ocupados, presos no seu próprio mundo. Bom, talvez Sam estivesse apenas a seguir esse padrão, ou talvez fosse algo mais. Mas era evidente que não estava tudo bem nesta casa. Era óbvio que o casamento não era feliz. Por várias vezes Diana reparou numa carrinha a passar lentamente pela casa, à noite, com as luzes apagadas. Uma vez, um homem saíra e ficara parado na neve. Diana observara-o da janela da cozinha. O indivíduo desaparecera rapidamente e não havia marcas de pneus quando Diana saíra de manhã. Talvez não tivesse estado realmente ali. Talvez ela tivesse visto apenas as sombras dos buxos na estrada.

Estava a nevar na noite do parto. John estava em Cleveland, por isso Arlyn chamou um táxi.

— Não se importa, pois não? — perguntou Arlie, quando acordou a sogra para tomar conta de Sam. Arlyn já estava de casaco vestido e tinha o saco preparado ao pé da porta. — E não estranhe se o Sam não falar consigo quando o preparar para a escola. Ele não é uma pessoa matinal.

— Não te preocupes — disse Diana. Estava furiosa com o filho por estar fora a trabalhar, deixando a pobre rapariga sozinha. — Eu trato de tudo por aqui.

Blanca nasceu oito minutos depois da meia-noite, uma linda criança pálida, igualzinha a George Snow. Deixou-se calmamente pegar, embalar e amamentar. Gostava de mimos e cheirava bem. John Moody foi contactado, em Cleveland. Embora as enfermeiras tivessem ficado chocadas por ele estar fora, a trabalhar, deixando a nova mãe sozinha, Arlie estava contente. Ter-se-ia sentido culpada se John estivesse ao seu lado.

— Minha menina de neve — disse à bebé, numa voz tão pura que a criança virou a cabeça para ouvir mais. — Minha querida, minha filha, minha pérola.

Quando Arlie trouxe o bebé para casa, Sam estava à espera à entrada. O táxi parou e Arlie saiu e ali estava ele, à espera, sem casaco, sem gorro. Diana saiu a correr.

— Ele recusa-se a vir para dentro. Tem estado aí fora todo o dia. Estava prestes a chamar a polícia. Julguei que ia morrer congelado!

Arlyn sorriu ao seu rapazinho. A neve caía-lhe sobre os ombros. Tinha os lábios roxos do frio.

— É ela? — perguntou Sam.

Arlie acenou e mostrou-lhe o bebé.

— Blanca — disse Sam. — É linda.

Diana estava farta. Certificara-se de que John ia apanhar o último avião de Cleveland, nessa noite. *Mãe, isto são negócios*, dissera ele quando ela lhe telefonara para o mandar vir para casa. Diana também dera muitas desculpas ao longo da vida; era uma especialista, na verdade, mas agora não ia arranjar mais desculpas. Como marido e como pai, John estava a falhar. Diana olhou para Arlyn com os filhos e lembrou-se de como se sentira sozinha, uma jovem mãe, nesta mesma casa. Queria dizer-lhe: *Foge. Corre o mais depressa que puderes.* Em vez disso, estendeu os braços para o bebé.

— Eu levo a Blanca para dentro.

Arlyn e Sam ficaram mais um pouco à entrada.

— Agora estamos cá todos — disse Arlyn. — Os meus sonhos tornaram-se realidade. Queria um filho mesmo como tu e uma filha mesmo como a Blanca.

Estava a ficar mais frio e tinham de entrar. Percorreram o caminho até à porta mas, no último instante, Arlyn puxou a manga de Sam, fazendo-o parar. Arlyn deitou-se no chão e abriu e fechou os braços, fazendo um anjo de neve. Ele olhou por um momento, depois imitou-a. Estavam tão frios e molhados que não fazia diferença.

Depois levantaram-se e estudaram os seus anjos.

— Pronto — disse Arlie, satisfeita. — Para dar boa sorte.

Sam estava agora a tremer. Subiu para o seu quarto. Devia despir as roupas molhadas, mas deixou a humidade penetrar-lhe nos ossos. Os anjos que tinham feito lá fora eram lindos, mas também tristes. Faziam Sam pensar no céu e no fim do mundo. Não suportava pensar que alguma coisa má podia acontecer à sua mãe ou a Blanca. Tinha um mau pressentimento, como se estivesse a afundar-se. A verdade era que Sam tinha um segredo, um segredo que não contara. A mãe estava tão entusiasmada com o bebé; estava demasiado feliz para ele lhe dizer por que motivo ficara lá fora, na neve, recusando-se a entrar.

Não era por Blanca vir para casa. Passara ali o dia todo porque *William* morrera. Nessa manhã, Sam abrira o armário para dar ao esquilo a sua refeição preferida — uma maçã com manteiga de amendoim — e ali estava *William*, enrolado no seu ninho, imóvel. Sam fechara a porta e saíra de casa. Tinha um alfinete no bolso e espetara-o nos dedos, mas esse tipo de dor não era suficiente para se livrar daquilo que sentia. Quando foi para a cama, nessa noite, em vez de chorar, contou até cem. *Um, nada podia tocar-lhe. Dois, estava a quilómetros de distância. Três, estava a voar sobre as casas e as árvores*, uma daquelas raras pessoas do Connecticut de que a mãe lhe falara, pessoas que pertenciam a uma raça estranha e pouco conhecida. Ele podia ser um deles; um menino capaz de voar para longe do perigo e da dor e nunca mais sentir nada.

Arlie sentiu o caroço quando Blanca tinha três meses, enquanto estava a dar-lhe de mamar. Os seus seios estavam inchados e cheios de leite, mas isto era algo completamente diferente. Aquilo que ela sempre temera. Algo com a forma de uma pedra.

John Moody terminara o seu edifício em Cleveland — chamavam-lhe a Montanha de Vidro e as pessoas da cidade eram muito críticas em relação à sua altura. E agora John estava de volta. O bebé suavizara-o um pouco; talvez achasse que era apropriado derreter-se com uma filha e não com um filho, ou talvez tivesse dado ouvidos à mãe quando ela lhe dissera o quanto estava desiludida.

John estava na cozinha a beber café no dia em que Arlie encontrou o caroço. Tinha até servido uma chávena a Arlyn. Estava a tentar ser atencioso. Quando ergueu os olhos e viu Arlie ali de pé, de camisa de dormir, com o cabelo despenteado, esqueceu-se do café.

— Acho que há algo errado — disse Arlie.

John Moody sabia que não tinha o mais feliz dos casamentos. Sentia que tinha sido apanhado numa armadilha: a juventude fora-lhe roubada. Ainda não conseguira ir a Itália, apesar de ter tirado vários cursos e de conseguir agora conversar num italiano hesitante, um dialecto de Veneza, com a professora, uma jovem encantadora com quem fizera amor duas vezes. Três vezes seria um caso, dissera a si próprio. Uma vez era apenas uma experiência, já que era tão jovem quando casara. Duas vezes era apenas para ser delicado e não magoar os sentimentos da pobre mulher. Quando começara a trabalhar no edifício em Cleveland deixara de ir às aulas; recebera várias mensagens da professora de Italiano no escritório, mas não lhes respondera. Francamente, estava acomodado ao seu casamento; a mulher já não esperava que ele fosse algo que não era. Conhecia-o.

— Ouve, toda a gente tem problemas — disse a Arlie. Pensara que ela era um espírito livre mas, na realidade, revelara-se uma pessoa atormentada. — Não podes deixar que as dificuldades te travem. Não podemos simplesmente desistir, pois não?

Arlie aproximou-se da mesa. Parou em frente dele e pegou-lhe na mão. O primeiro impulso de John foi retirá-la, mas não o fez. Queria ler o jornal, mas esforçou-se por ser compreensivo. Na noite antes de partir, a mãe chamara-o à parte e dissera: *Sê mais amável.* Portanto, era isso que estava a tentar fazer. Afinal de contas, Arlie acabara de ter um bebé e não podia ser responsabilizada pelas suas acções ou alterações de humor. Pelo menos fora o que Jack Gallagher, o vizinho do lado, lhe dissera quando John se queixara de como Arlyn andava inconstante. Mas a verdade era que Jack não tinha filhos e, dentro de poucas semanas, deixaria de ter mulher. Cynthia deixara bem claro a John Moody que estava disponível; pedira o divórcio e Jack sairia de casa dentro de pouco tempo. Portanto, não podia dar muito crédito aos conselhos do vizinho. Na verdade, John soubera do divórcio antes mesmo de Jack. Uma noite, pouco depois de Arlie voltar para casa com o bebé, Cynthia estava à espera de John no caminho, desesperada por alguém com quem falar, alguém que a compreendesse.

Certamente que era capaz de lidar com a sua própria mulher. O jornal podia esperar. Mas, em vez de querer falar, Arlie fez algo

48

que apanhou John completamente de surpresa. Colocou a mão dele no seu seio. Ele sentiu imediatamente o caroço; de súbito, apercebeu-se de há quanto tempo não lhe tocava. E agora isto, uma pedra.

— Talvez seja normal. Talvez desapareça, se parares de amamentar.

Era assim que ele lidava com a vida. Acreditava igualmente em lógica e negação, mas Arlie sabia que havia lago para além disso. Ela recordou os melhores momentos da sua vida. De pé no alpendre à espera de John, dar à luz os seus bebés, correr pela praia com George Snow enquanto ele atirava pedras ao mar, os anjos de neve à entrada, a forma como Sam procurava a sua mão. Este momento era a linha divisória entre o *antes* e o *depois*. Não haveria mais globos suspensos de tempo. Não haveria mais «para sempres». Consultas médicas, dezenas de mamografias, fazer o jantar para Sam e John, embalar Blanca até a adormecer, telefonar a Diana e pedir-lhe se podia vir da Florida para ajudar com as crianças depois de ser operada. Aconteceu tudo tão depressa; o passado estava suspenso sobre Arlyn como se fosse gravado no ar. Pensava nele como um tecto sob o qual caminhava. Esforçou-se por recordar a sua mãe. Arlie tinha três anos quando a mãe adoecera, nunca lhe tinham dito com o quê. Se tivesse sabido que fora com o mesmo tipo de cancro que ela tinha agora, teria tido mais cuidado, teria estado mais atenta, mas as pessoas não falavam dessas coisas. O cancro era um feitiço com efeitos perversos; dita em voz alta, a própria palavra era capaz de lançar uma maldição sobre quem a pronunciava.

O pior era o pouco que recordava da mãe, apenas fragmentos — cabelo ruivo, como o dela, mas com um brilho mais escuro; uma canção que ela costumava cantar, «Stormy Weather»; uma história que lhe contava, «Capuchinho Vermelho». Três anos com a mãe e isso era tudo o que Arlyn conseguia recordar. A sua menina tinha três meses, não três anos. O que poderia alguma vez recordar? Uma sombra vermelha, uma voz, um colar de pérolas com o qual brincava enquanto mamava.

Arlie pensou cuidadosamente no que queria fazer antes da operação. Tratou esse dia como se fosse o seu último dia à face da Terra. Não levou Sam à escola, ficou em casa com ele. Ele andava mais reservado desde que o esquilo morrera, embora Arlyn tivesse tentado explicar-lhe por que razão isso acontecera. Dissera-lhe que era uma coisa natural para tudo o que estava vivo, e que ele fizera tudo o que podia pelo animal. Ninguém, nem mesmo o presidente, nem mesmo o homem da Lua, podia decidir quem vivia e quem morria.

Arlie passou a manhã a ler para Sam na véspera da sua operação. Já iam em *Magic or Not?*, estavam quase a acabar a série de Edward Eager sobre as maravilhas do Connecticut. Arlie trouxe o bebé para a cama com eles, para conseguir sentir como ambos os seus filhos estavam vivos. Os barulhinhos de Blanca; o corpo quente de Sam esticado ao seu lado. Sam era alto, para um menino de seis anos; seria como o pai, alto e magro, precisando de baixar a cabeça para passar nas portas. Arlie queria que Sam tivesse tudo; queria o mundo para ele. Com tão pouco tempo, fez o melhor que podia; ao almoço, levou os filhos à gelataria na Main Street e deixou Sam pedir um Bonanza, o batido dos seus sonhos — quatro sabores de gelado, molho de chocolate e caramelo, montes de natas, cerejas cristalizadas verdes e vermelhas. Ele comeu cerca de um terço, depois levou as mãos ao estômago e gemeu.

Quanto a John, estava a trabalhar. Não era tão insensível como poderia parecer: Arlie dissera-lhe que fosse, que queria que o dia fosse normal, caso contrário não o conseguiria suportar. Ou talvez ele simplesmente não tivesse lugar no seu dia perfeito. Talvez quisesse John ausente por razões que mal conseguia admitir a si própria. Talvez tivesse de ver George Snow uma última vez.

À tarde, levou os filhos para casa de Cynthia.

— Arlie — disse Cynthia. Os seus olhos encheram-se de lágrimas ao ver a vizinha.

— Podes tomar conta deles? — Arlie ainda tinha as chaves do carro na mão. Estavam em Abril e tudo à sua volta era verde.

— Não — disse Sam. — Não nos deixes. Não gostamos dela.

— Estás a ver? — disse Cynthia, em tom impotente.

Arlie levou Sam para o corredor de Cynthia e entregou o bebé à vizinha. Podiam já não ser amigas, mas às vezes a amizade era o menos importante.

— Preciso de ti — disse Arlie.

— Não vou ficar na casa de uma bruxa — disse Sam à mãe.

— E não ficará. — Cynthia olhou para o bebé que tinha nos braços. Blanca olhou para ela.

— Muito bem, então leva-os para casa. A porta das traseiras está aberta. Eles estarão mais satisfeitos lá. Deixa o Sam ver televisão e dá um biberão à Blanca. Aquece-o debaixo da torneira de água quente e prova para teres a certeza de que não está quente de mais.

— Não sou idiota. — Cynthia parecia estar quase a chorar. — Lá porque não tenho filhos, isso não quer dizer que vou queimar--lhe a boca.

— Claro que não. Eu sei, Cynthia. Confio em ti. — Arlie virou--se para Sam. — Faz o que a Cynthia disser pelo resto da tarde, a menos que seja alguma coisa perfeitamente estúpida. Peço-te, como um favor. Também preciso de ti.

Sam acenou. Tinha uma sensação terrível de falta de ar, mas sabia quando a mãe falava a sério.

Arlie entrou no carro e conduziu até New Haven. Sabia onde George vivia. Procurara-o na lista telefónica há alguns meses. Telefonara-lhe uma vez, depois desligara antes de ele atender. Se ele soubesse que Blanca era sua filha, viria atrás delas. Seria uma complicação. E, agora, era tudo uma complicação, de qualquer maneira. Arlie conduziu depressa de mais. Sentia-se a escaldar. À volta do pescoço, as pérolas que George lhe deixara estavam febris, coloridas com uma tonalidade cor de ferrugem. Estacionou em frente do prédio de três pisos onde ele tinha arrendado um apartamento. Achava que era no último andar. Desejou conseguir ver as caixas de correio e o nome dele, mas ficou no carro. E ainda bem; nesse momento, a carrinha dele parou em frente à casa. Ele estava a trabalhar numa loja de animais. George e o irmão já não se falavam; tiveram uma discussão terrível depois de terem sido despedidos pelos Moody. Na verdade, George evitava a maioria das pessoas, preferindo a camaradagem silenciosa de periquitos e peixinhos dourados. Saiu da carrinha e contornou-a para retirar a lancheira e uma mochila da parte de trás. O seu *collie*, *Ricky*, saltou para o chão. O cão parecia mais velho, mas George estava na mesma, apenas distante. Passara apenas um ano desde que Arlie o vira, como podia parecer--lhe uma eternidade? Ele estava a assobiar enquanto se dirigia aos degraus do prédio. Depois desapareceu, com o *collie* colado aos calcanhares, e a porta bateu.

51

Não saiu do carro para lhe dizer. Quase o fez, mas sempre tivera medo de pedras e o caminho para a casa dele era feito delas, pequenas pedrinhas redondas. Era tarde de mais. Era demasiado horrível e injusto procurá-lo agora. Arlyn estava a apertar o volante com tanta força que os seus dedos ficaram brancos. As luzes acenderam-se no apartamento do terceiro andar. Se tivesse ido com ele quando lhe pedira para deixar John, teriam passado este ano juntos. Agora havia apenas dor e arrependimento para partilhar. Não queria que houvesse uma luta por Blanca, que ela fosse puxada para um lado e para o outro, mesmo que fosse este o preço a pagar. Pelo menos vira-o. Mais um momento perfeito no seu dia perfeito.

Arlie conduziu devagar até casa, tentando não pensar em mais nada a não ser na estrada e nos filhos que a esperavam. Fora-lhe concedido mais do que à maioria das pessoas. O amor verdadeiro, afinal de contas, valia o preço que fosse preciso pagar por ele, por pouco tempo que durasse. Havia apenas uma falha horrível no dia: uma consulta pré-operatória no hospital, marcada para mais tarde, para que John pudesse ir com ela. O céu estava a ficar azul-escuro. Azul de Abril. Dentro do hospital as luzes eram terrivelmente fortes. Arlie era a última paciente do dia. Guardariam o melhor ou o pior para o fim? Era isso que Arlyn queria saber. O médico era jovem. Pediu-lhe que o tratasse por Harry, mas ela não era capaz; tratou-o por Dr. Lewis. Se ele queria que ela o tratasse pelo primeiro nome, o prognóstico devia ser mau. John estava com ela e Arlie estava grata por isso; a presença dele impedia-a de se ir abaixo. Sabia que John não gostava de más notícias, de mulheres complicadas, de tragédias. Seria possível que nunca tivesse chorado à frente dele? Nem mesmo naquele dia em New Haven, quando aparecera no quarto dele tão convencida do futuro; só chorara depois de ele sair. Não era agora que ia começar.

O Dr. Lewis veria a extensão do cancro quando a operasse; estariam presentes dois outros médicos, residentes, a assistir à cirurgia, e a ideia de uma equipa de pessoas a remexer dentro dela provocou-lhe um estremecimento. Demorou algum tempo a perceber que eles planeavam retirar-lhe o seio. Depois disso, deixou de pensar, nem sequer pesou as possíveis complicações. Limpou a mente. O tempo parara. Insistira para que isso acontecesse, e acontecera. A viagem de regresso a casa foi silenciosa e demorou uma década. Ela agradeceu a Cynthia, que fizera o jantar para a família. Depois de jantar, John acompanhou Cynthia a casa. Ela abraçou-o e ele retribuiu. Cynthia estava ali, para ele, como prometera. Levou-o para casa, depois para o quarto no piso de cima; o seu amor não era um crime, era uma dádiva, era assim que Cynthia o via e foi assim que John Moody o recebeu.

Sozinha no Sapato de Cristal, Arlie pôs o bebé na cama e foi lavar a loiça. Cada prato demorou uma eternidade, mas não fazia mal. Queria que tudo durasse. Não se importava com a ausência de John; gostava do silêncio. Nessa noite, no quarto de Sam, a história que Arlie lhe contou em voz baixa demorou cem anos a contar. Era a história preferida de Sam, a história do pai de Arlyn sobre as pessoas voadoras do Connecticut.

— Se eu partir — disse-lhe ela depois —, é aí que estarei. Mesmo por cima de ti, a voar. Nunca te deixarei completamente.

Sam tinha os ossos do seu esquilo numa caixa de sapatos ao fundo do armário. Sabia o que acontecia depois da morte.

— Essas pessoas não existem — disse.

— Sim, existem.

— Prova-o — disse Sam.

Então Arlyn fez uma loucura. Levou Sam para o telhado. Conduziu-o através do sótão até à porta que dava para uma placa de vidro lisa. Era aqui que George Snow estava quando a vira pela primeira vez. As nuvens corriam tapando a Lua. As árvores moviam-se com o vento. Arlyn conseguia sentir à sua volta as pessoas de que o pai lhe falara. Eram aquelas que nunca nos deixavam, acontecesse o que acontecesse.

— Estás a vê-las? — A voz de Arlyn era estranha, pequena e perdida.

Tudo o que Sam via era o universo imenso e o céu escuro. Azul, preto, roxo; o horizonte era uma linha tão tremeluzente que o fez pestanejar. Percebeu que a mãe tinha os olhos fechados. Sabia que estavam num sítio perigoso. Algo se agitou entre as árvores. Algo belo.

— Sim, estou — disse Sam.

Arlyn riu-se e parecia novamente ela própria. Tinha aberto os olhos. Já juntara este momento aos seus instantes no tempo, classificando-o como o melhor momento de todos. Uma noite silenciosa, maravilhosa, escura. Sentia-se tão estranhamente livre, solta da terra. Mas, mesmo que fosse capaz de voar para longe, nunca poderia deixar o filho. Mais um segundo com ele valia tudo. Desceram os degraus para o sótão e regressaram ao quarto de Sam. Arlie prendeu-lhe os cobertores e desejou-lhe boa-noite. Esperou ao lado dele até ele estar a sonhar, até a sua respiração ser calma e regular; depois ficou mais um pouco, ali na cadeira, até ele abrir os olhos de manhã.

— Eu sabia que ainda estarias aqui — disse Sam, e, por uma vez na sua vida, teve alguma esperança de que nem tudo no mundo fosse uma mentira.

John Moody era um homem que arranjava, construía e planeava; em tempos de sofrimento, fez aquilo que sabia. Desenhou um projecto para ter algo em que se concentrar. Um empreendimento ridículo, diziam as pessoas da cidade, uma piscina enorme atrás do Sapato de Cristal, uma coisa bela tal como John a concebera, rodeada de lajes de ardósia, com uma borda infinita da qual a água corria para uma piscina mais pequena na encosta da colina. O buraco já começara a ser aberto pelas escavadoras quando Arlyn regressou do hospital. Tinha três metros e meio na parte mais funda e a escavação parecia interminável, através de rocha e terra. O relvado estava coberto de torrões de lama vermelha e de pedaços de argila. O barulho, por vezes, conseguia ser ensurdecedor, mas Arlie mantinha as janelas fechadas e as persianas corridas. Era Junho e ela estava a morrer enquanto ouvia os *bulldozers* e as betoneiras. Fora a Primavera mais chuvosa de que havia registo e agora estava tudo tão verde que as folhas dos lilases e as sebes de buxo pareciam pretas.

O tumor estendia-se por baixo da sua caixa torácica e estava colado às costelas. O cirurgião não tinha conseguido tirar tudo. Os seus ossos estavam transformados em renda. Agora, já tratava o médico por Harry; era assim tão mau. Os oncologistas tinham-na colocado num tratamento de radiação e quimioterapia, mas, ao fim de um mês, ela sentia-se tão mal que a retiraram do mesmo. Ela não era uma experiência, apenas uma mulher moribunda, uma mulher que rapidamente perdera o seu cabelo ruivo. Entrançara-o antes de a quimioterapia começar e depois cortara-o, vinte e cinco centímetros dele. O resto caíra-lhe para a almofada e no chuveiro e enquanto percorria o caminho, lentamente, com Cynthia a apoiá-la quando ficava cansada.

— Segura-me — dizia a Cynthia. — Estou a contar contigo.

— Não sou assim tão forte — dissera Cynthia uma vez.

— Oh, és, sim — respondera Arlyn. — Foi por isso que quis ser tua amiga quando te conheci.

Arlyn guardava a trança numa caixa de recordações que estava a fazer para os filhos, arrumada lado a lado com fotografias da família, desenhos que Sam lhe fizera, a pulseira de plástico de Blanca da maternidade. Quando chegasse a altura, Arlie colocaria na caixa as suas pérolas. Depois de ter sido submetida à radiação, o veneno dentro da sua pele passara para as pérolas; tinham ficado pretas, como pérolas do Tahiti, o exacto oposto daquilo que deviam ser.

Por duas vezes vira John Moody atravessar as sebes ao crepúsculo, em direcção à casa de Cynthia. Ele achava que Arlyn não perceberia, porque ele agora dormia na sala, mas ela sabia. Já raramente saía do seu quarto, por isso John devia ter achado que era seguro procurar conforto na casa do lado. O último passeio que Arlie dera fora quando perdera as forças e caíra; Cynthia gritou por ajuda no meio da estrada e um camião-cisterna parou. O condutor era um homem corpulento que levou Arlie ao colo para casa.

— Deve ser um daqueles homens voadores do Connecticut — dissera-lhe Arlie.

As asas dele eram provavelmente enormes.

— No meu camião, pode ter a certeza de que voo. — A mãe do camionista morrera recentemente. Embora ele fosse um tipo duro e forte, agora não o parecia. — Mas não diga nada à polícia, senão ainda vou preso.

— Fique descansado — tranquilizou-o Arlie.

Depois disso, John contratara uma enfermeira chamada Jasmine Carter. Jasmine dava os remédios a Arlie e ajudava-a a tomar banho e a vestir-se. Jasmine tomava conta de Arlie e Diana Moody veio para tomar conta das crianças. Arlie ainda fazia questão de pegar na filha pelo menos uma vez por dia; todas as noites lia a Sam e, quando deixou de conseguir ver as palavras, ele lia para ela.

— Odeias-me sem o meu cabelo? — perguntou uma noite a Sam. Antes, liam no quarto dele e era ele que estava na cama. Agora era ao contrário, mas nunca tocaram nesse assunto.

— Gosto mais de ti assim — disse Sam. — És como um passarinho bebé.

— Piu, piu — disse Arlyn.

Às vezes, quando as suas mãos tremiam, Arlie precisava de ajuda para comer. Sentia-se como um passarinho. Tentou esconder de Sam o seu declínio, mas não era fácil. Arlyn não queria saber do que as outras pessoas diziam sobre Sam. Ele sabia coisas que as outras crianças não sabiam. Era evidente que sabia o que se estava a passar agora. Ele pegou num copo de água para que ela pudesse beber por uma palhinha. Quando ela acabou, pousou o copo sobre uma base para não deixar marca na mesa-de-cabeceira.

— Um dia, em breve, vais pegar nas minhas pérolas e pô-las numa caixa de tesouros especial que eu tenho — disse Arlie. — São para a tua irmã.

— E eu, o que ganho? — quis saber Sam.

— Tu tiveste-me só para ti durante seis anos — disse Arlie. — Talvez cheguemos aos sete.

— Ou oito, ou nove, ou dez, ou mil.

Já lhe pareciam mil anos. Era como se tivesse gasto todo o seu tempo mas continuasse a agarrar-se à vida. Não suportava o barulho lá fora, os homens a gritarem enquanto despejavam o cimento, o estalido dos azulejos a serem colocados, azulejos azul-marinho vindos de Itália; John encomendara-os directamente à fábrica, nos arredores de Florença, tão fluente era agora o seu italiano. Sentara-se ao lado da cama de Arlie e mostrara-lhe os catálogos de azulejos. Azul-céu, cobalto, turquesa, azul-escuro. *Turchese. Cobalto. Azzurro di cielo. Azzurro di mezzanotte.* Ela adormecera a meio da conversa e, no fim, John escolhera os azulejos de que gostava mais.

George Snow só soube o que se passava com Arlie numa tarde em que, por acaso, encontrou o irmão num bar em New Haven. George estava a comer um almoço tardio, um hambúrguer de queijo e uma cerveja. Queria que o deixassem em paz, mas Steven viera sentar-se ao lado dele e começara imediatamente a falar, como se não tivessem deixado de se falar seis meses antes, sobre o homem responsável pelo fracasso do seu negócio e pela sua relação inexistente, embora tivesse jurado nunca mais pronunciar tal nome em voz alta.

— Aquele filho da mãe do Moody está a construir a mãe de todas as piscinas. E com a mulher a morrer.

George Snow lembrar-se-ia para sempre de que tinha acabado de pousar o copo quando ouviu a notícia. O irmão continuou a falar, mas George não ouviu uma palavra. Só ouviu o que ele dissera sobre ela.

— Estás a falar da Arlyn?

Steven apercebeu-se do que fizera.

— Ela está doente. Pensei que já sabias. Queria apenas dizer-te que lamento muito.

George atirou algum dinheiro para cima do balcão e dirigiu-se à porta. O irmão chamou-o e, quando viu que George não ia parar, seguiu-o até ao parque de estacionamento.

— A sério, George, ela não é tua mulher e não tens nada a ver com isso. Eles tiveram outro filho, não tiveram?

— Quando foi isso? — perguntou George, surpreendido.

— Neste Inverno que passou. Pensei que sabias.

George entrou na carrinha e arrancou. Tinha um sentimento de pânico no peito. Podia irritar-se com o irmão tanto quanto quisesse, mas George sabia que só se podia culpar a si próprio por não saber. Mudara-se para New Haven para não ter de ver Arlie; fora um cobarde perante a rejeição dela. Pensara que, se ela mudasse de ideias, o teria contactado. Pensara que ela tomara a decisão de ficar com John. Agora, tudo aquilo de que tinha tanta certeza estava a evaporar-se.

George Snow conduziu tão depressa que as pedrinhas da estrada saltavam e lhe batiam no vidro. Quando chegou à rua onde ela morava, o pânico intensificou-se. Havia quatro carrinhas paradas no caminho de acesso à casa, por isso estacionou na relva. O relvado estava mole, por causa de toda a chuva da Primavera, e os seus pneus afundaram-se, mas George não queria saber. O seu lado de ex-lavador de janelas reparou que as janelas estavam em mau estado, manchadas e sujas de folhas e pólen.

Enquanto estava sentado na carrinha parada, sem saber o que fazer a seguir, uma mulher saiu de casa. George reconheceu-a, era a sogra. Sam vinha ao seu lado — era sexta-feira, aulas de música — e, nos braços, ela trazia o bebé. Um bebé real, verdadeiro. George Snow viu-os entrarem num carro e arrancarem. Sentia-se tonto e quente; era como se tivesse acabado de acordar de um sonho no qual vivia com um velho *collie* num apartamento no terceiro andar e trabalhava numa loja de animais. Mas agora estava acordado. Saiu da carrinha e subiu o caminho para bater à porta. Quando ninguém abriu, tocou à campainha; pressionou o botão e não o largou, até o som se assemelhar a sinos de igreja. Uma mulher que George não reconheceu abriu a porta.

— Pare com isso — disse ela. — Não tem consideração nenhuma?

George Snow entrou, passando pela mulher desconhecida. Estava escuro no corredor, como se tivesse entrado num bosque sombrio.

— Alto aí. — A mulher era uma enfermeira. Jasmine Carter. — É melhor fazer o que eu digo ou chamo a polícia.

— Vou ver a Arlyn.

Antes, a casa parecia perfeita a George; conhecia-a tão bem, de a ver do lado de fora das janelas. Mas não estava como ele se recordava. Ali, de pé no corredor, não conseguia ver para o exterior através dos vidros.

— Oh, nem pensar — disse Jasmine. — Eu estou a cuidar da Arlyn e eu é que lhe digo o que vai fazer. Faz alguma ideia do que se passa aqui?

— Sei que ela me quereria ver.

Jasmine e George olharam um para o outro e ele percebeu que estava a ser avaliado. Quem exactamente pensava ele que era, para ter direito fosse ao que fosse? Pensou nas crianças que vira à porta. Pensou em tudo aquilo que não sabia.

— Vou vê-la, diga o que disser — disse George à enfermeira, depois de se apresentar.

Uma coisa que ele era, sem dúvida, era um homem que causaria sarilhos se Jasmine tentasse ver-se livre dele. E era mais; quando disse o seu nome, Jasmine reconheceu-o. Era o nome que Arlyn dizia quando dormia.

— Bom, se quer vê-la, é melhor preparar-se. Não quero que a

deixe perturbada com a sua reacção. Mentalize-se já. O que vai ver não é nada bonito.

— Eu estou bem — disse George.

— Mas não vai estar — disse Jasmine. — Acredite.

— Não sabe nada a meu respeito.

— Sei que ela fala em si sem se aperceber. O mais provável é que não quisesse que a visse neste estado.

George não pensara em como seria terrível amar uma pessoa e vê-la em sofrimento. Há mais de um ano que não via Arlie, nem ao longe. Estava a começar a sarar, se é que se podia considerar uma cura uma vida passada em solidão e isolamento.

— Eu estou bem — repetiu. — Não importa o aspecto dela.

Seguiu Jasmine pelas escadas.

— Ela dorme muito. Gostava de poder sair, mas é muito difícil para mim levá-la ao colo. O meu limite são vinte quilos.

Enquanto caminhavam, ele viu que o tecto de vidro estava coberto de agulhas de pinheiro, pólen, folhas, gotas de água, um manto de luto. Passaram pelos quartos das crianças.

— O bebé tem cabelo ruivo? — perguntou George.

— Loiro. — Jasmine era enfermeira há quinze anos. Conseguia perceber determinadas verdades em fracções de segundo. — Como você.

Jasmine bateu à porta do quarto de Arlyn; abriu a porta e espreitou.

— Está aqui uma pessoa para a ver.

Não houve resposta. Jasmine fez sinal a George para a seguir. Ouviam-se os homens dos azulejos a acabar a piscina e o rangido horrível dos camiões de água a desenrolarem as mangueiras.

Jasmine aproximou-se do vulto na cama.

— Rapariga de sorte, tem uma visita.

— Mande-a embora. — Arlie tinha a boca seca e pastosa devido às doses elevadas de *Demerol* que o médico lhe receitara. Não soava a ela própria. Era como se as palavras a ferissem.

Arlyn estava de costas para eles, mas George conseguia ver a sua cabeça. Não tinha cabelo ruivo, não tinha cabelo nenhum. Sentiu uma pedra na garganta. Odiava-se a si próprio e odiava o mundo e odiava este instante no tempo.

— Arlie — disse. — Sou eu.

Percebeu que ela reconhecera a sua voz porque reagiu; as costas curvadas ficaram mais tensas, como uma tartaruga na sua casca. Por um instante, pareceu parar de respirar.

— Ele não pode ver-me — disse Arlyn. Fora puxada do seu lugar de sonho para o mundo real e a sensação não era boa. Sentia-se como se o seu coração se fosse despedaçar.

— Tape-me os olhos — pediu George a Jasmine. — Não preciso de a ver para estar com ela. Prometo que não olho para ti — garantiu a Arlie.

— É maluco — disse Jasmine, mas tirou um lenço da gaveta da cómoda, colocou-o sobre os olhos dele e apertou-o bem. — Não verá nada — garantiu a Arlyn. — Ele só quer sentar-se ao pé de si, querida.

— Sou vaidosa. Quero que se lembre de mim como eu era. — Arlyn falava num murmúrio mas George ouvia-a perfeitamente. Jasmine conduziu-o a uma cadeira ao lado da cama e ele sentou-se. Conseguia sentir a respiração de Arlie. Conseguia sentir os cobertores contra os joelhos e a madeira da cama. Uma vez, fizera amor com ela ali. Rapidamente, com sentimento de culpa, com grande prazer.

— Ele nem sequer sabe do bebé — disse Arlie.

— Vou descer por alguns minutos. — Jasmine compreendia que este homem queria o mesmo que toda a gente: tempo. — Chame se precisar de mim.

— Eu devia ter voltado — disse George. — Se eu tivesse insistido, terias dito que sim e terias partido comigo.

Arlie pegou-lhe na mão. Por um momento, ficou chocado com a frieza dos dedos dela. Arlyn levou a mão dele às pérolas que tinha ao pescoço.

— Oh! — disse George. — Atirei-as para debaixo da sebe quando me disseste para me ir embora.

As pérolas nunca lhe tinham saído do pescoço, excepto durante as intervenções médicas, e mesmo então pedira a uma das enfermeiras que as enfiasse no bolso do uniforme por baixo da bata cirúrgica. Durante os tratamentos de radiação guardara-as no cacifo com o resto dos seus bens, sempre presentes. Para dar sorte, por amor, por nenhuma razão em particular. As pérolas tinham pertencido à mãe de George, ele nunca chegara a dizer-lho, e antes disso à avó.

Ficaram ali sentados durante algum tempo, de mãos dadas, num instante no tempo que nenhum deles queria que terminasse. A capacidade de visão de Arlyn estava a diminuir, mas conseguia vê-lo, como as pessoas vêem as nuvens — belas, a correr, lançando sombras.

— Nunca deixaria o Sam. Seja como for, tens sorte por eu não ter ido contigo. Agora estarias preso a mim.

Mas ele estava preso, de qualquer maneira, apesar de não ter partido com ele. George baixou a cabeça e chorou. Emitiu um som que vinha das profundezas do seu ser, pura dor, nada mais. Conseguia ver através da névoa provocada pelo lenço que Jasmine lhe atara sobre os olhos. Conseguia ver tudo.

— Agora sou eu que estou presa — disse Arlie. — Odeio ter de estar fechada neste quarto. Já pensei em deixar o meu corpo antes de morrer. Estou sempre a pensar em relva e na sebe de buxo. Na forma como vemos o céu quando estamos deitados no chão a olhar para cima.

Era o maior discurso que fazia há mais de uma semana e as palavras esgotaram-na. Agitou a mão. Não conseguia dizer mais nada. Sentia-se a pessoa com mais sorte em todo o universo por ter George Snow sentado ao seu lado. *Põe-nos numa jarra*, pensou. *Põe-nos na eternidade.*

Através do lenço, George conseguia estudar o seu rosto pálido, sem uma única sarda; tinham desaparecido todas. Ali estavam os seus bonitos olhos enevoados. Oh, era ela. Arlie. Tão pequenina. A definhar. Trinta quilos apenas, mas ainda aqui.

— Se me deixares tirar a venda, posso levar-te lá fora. Mas não quero cair nas escadas e matar-nos a ambos.

O riso dela era como água.

Ele tirou a venda. Jasmine tinha razão. Ver Arlie às claras era mais difícil do que ele julgara. Viu como o seu rosto estava manchado e inchado. Viu as veias no seu couro cabeludo. À volta do pescoço, tinha um colar de pérolas pretas que não se pareciam nada com as que ele deixara debaixo da sebe.

— São as mesmas — disse-lhe Arlie. — Mudam de cor.

— A sério? Magia?

— Radiação. Acho que absorvem o que há dentro de mim.

George levantou-a da cama. Ela não pesava nada. Cheirava a doença e a sabonete. As pérolas pareciam estranhos berlindes pretos.

— Voaremos? — perguntou Arlyn.

— É possível — respondeu George.

Pegou num cobertor e enrolou-a nele, depois desceu as escadas com ela ao colo. Jasmine estava na cozinha, a fazer chá.

— A Diana estará de volta com as crianças dentro de meia hora — avisou Jasmine. — Quem lhe disse que a podia levar lá para fora?

— Ela quer ir. — George abriu a porta das traseiras.

Jasmine aproximou-se.

— Não sei se será boa ideia — disse. — Ela arrefece muito facilmente.

— É o que ela quer — disse George.

A enfermeira não impediu George de levar Arlie para a luz forte do quintal. As bombas de água estavam a trabalhar; os homens dos azulejos que terminavam a beira da piscina gritavam uns com os outros. George dirigiu-se ao encarregado.

— Fechem a água e saiam daqui — disse.

O encarregado olhou para Arlie, depois gritou ordens aos seus homens. A piscina estava quase cheia. Não havia problema. Podiam voltar noutro dia.

— Saiam daqui — disse George aos homens dos azulejos. Havia uma pilha de azulejos de Itália. Alguns estavam lascados, mas a maior parte era perfeita. Os homens dos azulejos não falavam inglês. George pontapeou uma caixa vazia na direcção deles.

— Vão! — gritou. Bateu com os pés como um touro enraivecido. — Saiam!

George Snow parecia um louco com um fantasma ao colo. Os homens dos azulejos tinham medo de melros e de fantasmas no local de trabalho. Azar e acidentes, era o que essas coisas significavam. Os homens loucos eram ainda pior. Azar em todos os aspectos.

Enquanto os trabalhadores se preparavam para partir, George levou Arlyn para o relvado.

— Mais depressa — disse ela. — Leva-me a voar.

Ele correu, depois rodou sobre si próprio.

Arlyn riu-se.

— Tão depressa não.

Estava ofegante. George parou. Deixou cair o cobertor na relva, pousou Arlie e dobrou o cobertor para a cobrir, como um casulo. Ouviu gritos, mas ignorou tudo excepto o rosto de Arlie. Era John Moody que estava a gritar. Chegara a casa mais cedo e estava a repreender os trabalhadores, que deviam acabar a piscina naquela semana. Quando John soube que o tipo sentado na relva é que os mandara parar, dirigiu-se a George Snow. John pensava que George era um dos homens da piscina. Como se atrevia a parar os trabalhos?

— Quero-o fora desta propriedade — disse-lhe John.

— Ai quer? — disse George.

— E não volte à espera de receber.

George levantou-se da relva. Quando John Moody se aproximou mais, deu-lhe um murro na cara.

— Que é que lhe deu? — John estava a sangrar abundantemente do nariz. A relva debaixo dos seus pés ficara vermelha. — Não pense que eu não sou capaz de chamar a polícia. Mando-o prender imediatamente. A polícia estará aqui antes de ter tempo de fugir, seu filho da mãe.

George aproximou-se de John e agarrou-o.

— Mandou construir uma merda de uma piscina enquanto ela morre. A única coisa que ela ouve o dia inteiro são os *bulldozers*. Todos os barulhinhos lhe entram na cabeça. É assim que toma conta dela?

John Moody viu então o cobertor na relva. Havia qualquer coisa pequena enrolada nele. Era Arlie. A sua mulher. John olhou com atenção para George. Agora estava a reconhecê-lo. O lavador de janelas.

— Vou estar aqui todos os dias — disse George Snow. — E você não vai chamar a polícia nem ninguém.

George Snow parecia perigoso, louco. John compreendeu por que motivo nunca o vira antes a trabalhar na piscina. Não pertencia a este cenário.

— George — disse Arlyn debilmente —, manda-o embora.

— Não há nada que me possa fazer — disse George a John Moody. — Não tenho nada a perder.

— Está bem — concordou John. Não queria levar outro murro na cara.

— Estou a falar a sério! — disse George.

— Oiça, se ela quer que esteja aqui, pode estar aqui.

George voltou para junto de Arlie. Deitou-se ao lado dela, sentindo a relva picá-lo através da camisa.

— Mataste-o? — perguntou Arlie num murmúrio.

George riu-se.

— Não.

Arlie fechou os olhos.

— Mais perto — disse.

George aproximou-se mais dela, tanto quanto se atrevia, com medo de a magoar.

— Viste o bebé? — A voz de Arlie era tão fraca que parecia vir de outro planeta.

— Não precisas de falar.

— Baptizei-a por ti. Compreendes, George, por que motivo não te disse?

— Não tem importância. — George sentia-se como se nunca tivesse compreendido nada na vida, muito menos o que estava a acontecer a Arlie. Apetecia-lhe saltar de cima de um prédio, parar o tempo. Em vez disso, olhou para uma folha na relva. Olhou para os olhos enevoados de Arlie.

— Não lutes por ela, George. Quero que cresça ao lado do irmão. Quero que seja feliz. Lamento se te magoei ao não te contar. Queria que fosse tudo simples, mas não é.

— Está tudo bem, Arlie. Pára de te preocupares.

— Achas que ela se lembrará de mim? Agora vai ficar sem nenhum de nós.

— Talvez seja mais importante que nós nos lembremos dela.

Arlyn riu-se.

— És um homem engraçado.

— Hilariante — disse George Snow.

O sol deslocara-se e as sombras estavam a aumentar, por isso George pegou em Arlyn e levou-a de novo para dentro de casa. A sogra estava sentada à mesa, a olhar para ele com olhos assustados. E o bebé no carrinho. Sete meses. Loira. A sua menina. Cresceria aqui e teria tudo. Excepto a mãe.

George levou Arlyn para cima e deitou-a na cama, depois recuou para que Jasmine pudesse lavá-la e dar-lhe os remédios. A sogra subira atrás dele. Parecia preocupada.

— Você não trabalha na piscina — disse.

George sentia-se capaz de desfazer alguém com as próprias mãos.

— Sou o pai da Blanca — disse.

— O que vai fazer? — perguntou Diana Moody.

— Vou estar aqui todos os dias — respondeu George Snow. — Mas não vou atrapalhar.

— Referia-me a depois disso. Quando a Arlie partir.

George Snow olhou para Diana.

— O John não precisa de saber nada — disse Diana.

— Isso não é problema meu.

— Não. — Diana compreendia. — Nem tem de ser.

Diana sempre soubera que havia outra pessoa. Uma noite, quando Arlyn estava com dores terríveis, Diana sentara-se na cama a massajar-lhe as costas. Foi então que Arlie contou à sogra que fizera uma coisa errada; admitiu que Blanca não era filha de John. Nem sequer o lamentava; dentro do seu casamento, estava a morrer de solidão.

— Eu compreendo — dissera Diana à nora. Ela própria fora uma mulher solitária no seu casamento. — O que está feito, feito está. Agora tens uma filha linda, portanto, correu tudo da melhor maneira.

Depois disso, Diana não conseguia evitar estudar o bebé, o cabelo loiro, os olhos escuros, as feições singulares, tão diferente de John e de Arlie. Percebera quem era o pai de Blanca assim que o vira. Portanto, agora, fez a pergunta mais difícil.

— O que vai fazer em relação à Blanca?

— Depois de a Arlie partir vou beber até morrer. Não precisa temer que vos roube o bebé.

Diana Moody pousou a mão no braço dele, o que foi um erro terrível. Ele desatou a chorar. Como era embaraçoso ser abraçado por uma mulher que não conhecia, uma mulher com idade para ser sua mãe; e, pior ainda, sentir-se grato por alguém lhe estar a dizer que ia correr tudo bem, que o tempo cura todos os males, mesmo que cada palavra fosse uma mentira.

*

Uma tarde, quando o céu estava limpo e o tempo quente, Arlie chamou a sogra ao quarto e pediu-lhe que comprasse um talhão no cemitério.

— Oh, não posso fazer isso — disse Diana. — É algo que cabe ao teu marido.

— Não posso pedir ao John.

John Moody tornara-se distante. Não conseguia estar perto da doença, dissera. Não tinha jeito, não servia de nada para ninguém. Várias vezes Diana descera para ir beber água ou tomar um comprimido para a dor de cabeça, a meio da noite, e apanhara-o lá fora, no jardim, a regressar a casa através da relva molhada. Uma vez, quando ela acendera a luz do alpendre, John piscara os olhos com a claridade, espantado e culpado, mas não o suficiente para deixar de se escapulir à noite para casa da vizinha. Às vezes, dormia lá. Diana deu ao filho o benefício da dúvida. Certamente que este disparate com a vizinha começara depois de Arlie adoecer. O casamento era, afinal de contas, complicado; Diana Moody compreendia-o. Talvez John estivesse a reagir à presença diária daquele George Snow. Fosse como fosse, John não tinha jeito para o sofrimento nem para mostrar compaixão. A verdade era que ele não era pessoa a quem se pedisse para comprar um talhão no cemitério.

— Espero que faça isto por mim. Encontre um sítio onde haja uma árvore grande — disse Arlie a Diana —, para eu poder voar para os ramos de cima.

Diana pediu a Jasmine que olhasse pelas crianças. Vestiu o seu melhor fato preto, pôs o seu colar e brincos de ouro e um chapéu que guardava para ocasiões especiais. Conduziu até ao cemitério, parando para pedir indicações na estação de serviço. A vida que aqui vivera em tempos parecia um sonho. As estradas no Connecticut eram sinuosas, verdes, sombrias. Havia campos com muros de pedra nos quais ela nunca reparara quando aqui vivera; andava sempre tão ocupada com a sua própria vida, embora, francamente, o significado dessa vida agora lhe escapasse. Jantares, ténis, o filho, o marido. Nem sequer tinha tempo para olhar para os muros de pedra, construídos um século antes, quando havia vacas nos pastos.

Quando chegou ao cemitério, Diana estacionou e entrou. Era o cemitério mais antigo da cidade, o Archangel. Diana marcara uma reunião e um tal Mr. Hansen estava à sua espera na capela. Foi muito simpático e ofereceu-se para a levar ao local, mas Diana disse que o seguiria no seu próprio carro.

— É para uma pessoa só ou para uma família? — perguntou Mr. Hansen.

Diana não conseguia suportar a ideia de Arlie ficar ali sozinha para sempre.

— Família.

Enquanto seguia a carrinha de Mr. Hansen até à outra ponta do cemitério, ouviu barulho no banco de trás do carro. Esperava que não tivesse entrado nenhum pássaro pela janela aberta. Olhou para o espelho retrovisor. Havia alguém debaixo do cobertor que ela tinha sempre no banco de trás para o bebé. Se um assaltante tivesse saltado nessa altura, exigindo-lhe que o levasse ao deserto do Mojave, Diana teria ficado grata. *Sim, senhor*, diria. *Como queira. Conduzirei para sempre, só para sair desta complicação.*

— Quem está aí? — disse Diana no seu tom de voz mais severo. Provavelmente não seria o melhor tom para falar com um assaltante, mas era sem dúvida a melhor forma de obrigar o neto a sentar-se e a revelar a sua presença.

— Sam Moody — disse Diana. — Que diabo estás a fazer aqui?

— Queria ver onde é que ias — disse a criança.

A carrinha do agente fúnebre estava a abrandar. Diana ficou satisfeita ao ver muitas árvores. Carvalhos, cedros, freixos.

— A quinta dos ossos — disse Sam.

Era mesmo um rapazinho muito estranho. Seria possível uma pessoa não gostar do seu próprio neto?

— O cemitério — corrigiu Diana.

— Sei o que acontece às coisas quando morrem — disse Sam. — Pó e ossos.

— Há mais. Há uma alma. — Diana estava agoniada. Talvez por causa do calor e de todo aquele azar.

— Sim, sim — disse Sam. — Isso são tretas. — Tinham parado. — Bonitas árvores — observou ele. — Posso trepar a uma?

— Nem pensar nisso. — O agente funerário estava a fazer sinal a Diana. Tinha de manter o neto na linha. — Talvez, se te portares bem.

67

Diana e o rapaz saíram do carro e caminharam sobre a relva até um local fresco e verde, com seis campas vazias.

— Muito bem — disse Diana a Hansen. — Fico com ele.

Sam foi até ao centro do círculo vazio, por baixo de um grande sicómoro. Deitou-se e olhou através das folhas. Não havia uma nuvem no céu.

— Boa escolha — disse ele. — É tranquilo.

A sua voz era infantil e aflautada e Diana odiou-se a si própria por não ter gostado dele ao longo destes anos.

— Podes trepar à árvore — disse. — Mas não muito alto.

Sam levantou-se da relva de um salto, com um grito de alegria.

— Pode ser perigoso — avisou Mr. Hansen. Sam estava a atirar-se para o ramo mais baixo, que não parecia ser particularmente forte. E também não era uma criança particularmente ágil.

— Estou a comprar campas — disse Diana. — A mãe dele está a morrer. Deixe o rapaz divertir-se.

— Bom, acho que tem razão — disse Mr. Hansen.

— Na sua profissão, deve dar um grande valor à vida — disse Diana.

— Não mais do que qualquer outra pessoa — respondeu Mr. Hansen.

No caminho de regresso a casa, pararam numa gelataria. Diana comeu um cone de baunilha. Sam pediu um *Jumbalina* — era ainda maior do que o batido que a mãe, às vezes, o deixava comer. Seis tipos de gelado, caramelo quente e molho de morango. Tanto gelado deixou Sam maldisposto; vomitou na casa de banho e estava pronto para partir. Antes, pensava que a avó era uma bruxa. Era velha e não parecia gostar dele e tinha dedos magros com grandes nós. Sempre que ela dormia no quarto de hóspedes, espreitava para debaixo da cama depois de ela partir, à procura de ossos e veneno. Agora, estava tão cansado que a deixou pegar-lhe na mão no caminho para o carro, apesar de não gostar que outras pessoas para além da mãe lhe tocassem. Supunha que o toque de uma bruxa não fazia mal, provavelmente desaparecia com o banho. Ou talvez ela fosse uma bruxa boa, capaz de fazer o tempo andar para trás até a mãe ficar outra vez boa.

— Podes curar a minha mãe? — perguntou, no caminho para casa.

— Infelizmente, não — disse Diana.

Era honesta. Sam tinha de lhe dar crédito por isso. Quando chegaram a casa, a carrinha daquele homem estava lá. Estava um *collie* sentado no lugar do passageiro, com a cabeça de fora da janela, a ladrar.

— De quem é aquele cão? — perguntou Sam. Sabia que um homem grande se sentava à cabeceira da mãe todos os dias, mas não sabia o nome dele nem o que fazia lá. Era muito parecido com o homem que costumava lavar-lhes as janelas.

— De um amigo da família — disse Diana.

Sam não compreendia; ele fazia parte da família e não era amigo do homem da carrinha. Entraram. Jasmine estava na cozinha com Blanca, a dar-lhe papa. Quando viu Sam, Blanca riu-se.

— Bebé, bebé, põe a cabeça no pé — disse Sam alegremente.

Blanca riu-se tanto que lhe saiu papa pelo nariz.

— Achas isso bonito? — perguntou Jasmine.

— Ela parece um vulcão — observou Sam.

— E tu pareces um menino sujo, meu querido. Sobe e lava-te para vires jantar.

A voz de Jasmine era, normalmente, forte e bonita; agora parecia trémula. Sam sabia destas coisas, do lado oculto do mundo, a parte que não se via. Havia algo mais errado do que o habitual. Lá fora, no pátio, o pai de Sam estava a beber qualquer coisa e a olhar para a piscina. Parecia mais pequeno do que o costume. Não se virou.

— O que é o jantar? — perguntou Sam. Era um teste. Observou Jasmine atentamente.

— É o que tu quiseres — disse Jasmine, quando normalmente diria apenas *chili* ou *hambúrgueres* ou *esparguete*. Estava sempre demasiado ocupada para lhe dar muitas opções.

Sam saiu para o corredor e subiu as escadas. A porta do quarto da mãe estava aberta. Ultimamente, começara a sentir que a mãe já lá não estava. Quando lhe falava, às vezes ela não o ouvia. Outras vezes, falava com pessoas que não estavam no quarto. Era como aquelas pessoas de quem lhe falara, a voar por cima dos telhados. Pesava tão pouco que, quando Sam se metia na cama com ela, se sentia maior, mais forte. Ela era feita de ossos, mas de mais qualquer coisa. Talvez não fosse só uma história inventada quando as pessoas falavam de um espírito. Talvez houvesse mais qualquer coisa.

A mãe de Sam gostava de o fitar directamente nos olhos e Sam deixava-a fazê-lo, apesar de o seu hálito já não cheirar muito bem e de os seus olhos estarem nublados. De cada vez que ela expirava, restava um pouco menos dela. De cada vez que falava também.

— Conta-me um segredo — dissera-lhe ela na noite anterior. Era como um pássaro, ossos ocos, um pequeno bico, uma cabeça calva e trémula.

O céu estava escuro e o relvado parecia preto. Ele pensara na viagem de *ferry*, no dia em que encontrara *William*, o esquilo, e nos anjos que tinham feito na neve. Pensara no cabelo ruivo e comprido da mãe e no facto de, mesmo quando ele era horrível e esquisito, ela o amar sempre.

— Só um? — perguntara Sam.

Sentia os joelhos dela contra si, ossudos, como pedaços de pedra.

— Um.

Os olhos dela eram grandes. Uma pessoa podia cair dentro deles. *Mãe, mãe, estás aí?*

— Tenho seis anos — disse Sam.

Arlyn rira um pouco. O riso era o dela. Era ela.

— Eu sei.

— Mas vou ficar assim — confidenciou-lhe Sam.

— Não, não vais — disse ela. — Vais ser um homem grande. Vais ser tão alto que a tua cabeça vai bater no céu.

Mas essa conversa tivera lugar na noite anterior e a noite anterior já estava para trás. Agora, Sam estava de pé no corredor, do lado de fora do quarto da mãe, e ouviu o homem que era, supostamente, amigo da família a chorar. Não fazia ideia de que os adultos podiam chorar assim. Sam percebeu o que tinha acontecido; ficou mais um momento no corredor, para a ter por mais um instante como ela sempre fora, protegida dentro da sua mente. Depois entrou no quarto. Ainda se sentia o cheiro dela, a sombra dela, o crânio sem cabelo. O homem tinha a cabeça nas mãos.

— Lamento muito — disse o homem, como se tivesse sido apanhado a fazer uma asneira. Tinha as pérolas dela na mão. Eram mãos grandes e as pérolas pareciam pequenas sementes pretas. — Ela disse para tas dar.

Sam olhou para a pessoa na cama; não era a sua mãe. Era apenas uma casca, como o seu esquilo fora naquele outro dia mau. Sam pegou nas pérolas e levou-as para o seu quarto. Ao fundo do armário estava a caixa com tudo o que era importante. As fotografias, os desenhos, os postais, a trança do cabelo dela, a pele e os ossos do seu esquilo. Embrulhou as pérolas num lenço de papel e colocou-as na caixa. Fê-lo cuidadosamente. Sam não era como os outros rapazes, que não teriam cuidado tão bem de um colar. Ele era diferente. Tencionava manter a sua palavra. O segredo que contara à mãe era verdade: não ia crescer. Recusava-se a passar deste dia em que a mãe o deixara. Ninguém podia obrigá-lo porque ele já decidira. Nunca iria dizer adeus.

PARTE 2

UMA CASA FEITA DE ESTRELAS

Era uma despedida de solteira, tudo muito divertido, num salão de chá mediúnico na 23rd Street. Meredith Weiss sabia que se deveria ter desculpado com uma enxaqueca ou outro compromisso, mas Ellen Dooley fora sua companheira de quarto na universidade e estava familiarizada com os truques que costumava usar para evitar o contacto social. Era evidente que não havia escapatória. Meredith arrastou-se contrariada até à baixa, desde o Upper West Side, onde tomava conta do apartamento enorme de uma família que estava a passar férias em Itália. Meredith arranjara um emprego temporário na loja de recordações do Museu Metropolitano de Arte. Todas as pessoas que lá trabalhavam tinham excesso de qualificações e falta de motivação. A própria Meredith era licenciada em História da Arte pela Universidade de Brown, embora na realidade já não se interessasse por arte. No liceu fora campeã de natação; agora mal conseguia levantar-se da cama de manhã. Não conseguia dormir, mas também não conseguia acordar. Tinha vinte e oito anos, saíra da universidade há seis anos e estava a milhares de quilómetros de saber o que havia de fazer com a sua vida.

Ellen, a sua antiga colega de quarto, era a única pessoa que conhecia na festa, por isso Meredith podia esgueirar-se para a parte de trás enquanto a médium lia as sinas, com a previsão de um futuro particularmente brilhante para a noiva, incluindo quatro filhos e uma vida sexual fabulosa. A médium era uma irlandesa com uma voz melodiosa e encantadora; as suas previsões animadoras quase

73

fizeram Meredith adormecer. Estava quente lá fora; as ondas de calor erguiam-se do asfalto para o ar cinzento e parado. Meredith deixou-se cair numa cadeira voltada para a rua. Pelo menos o salão de chá tinha ar condicionado. As outras estavam todas a falar sobre o local onde iriam jantar mais tarde. Ninguém se esforçou por incluir Meredith. Era evidente que este não era o seu lugar, apesar de a camisa de dormir de seda que oferecera a Ellen ter sido considerado unanimemente o melhor presente de todos. Escolhera *lingerie* que ela própria nunca usaria, uma coisa frívola e disparatada. Naturalmente que as outras adoravam aquilo que ela odiava. Era sempre assim, com Meredith: era a estranha que nunca parecia falar a mesma linguagem que os outros.

Meredith tinha cabelo castanho e olhos escuros, cor de ébano; era alta e esguia, com corpo de nadadora, mas fora de água era desajeitada. Um pobre peixinho a lutar por ar. Embora tivesse passado a maior parte da infância e da adolescência numa ou outra piscina nos subúrbios de Maryland, ganhara pavor em relação à água. Às vezes, quando estava a chover muito, telefonava para o trabalho e dizia estar doente, depois enfiava-se na cama e escondia-se debaixo das cobertas. As pessoas que a conheciam ficavam, às vezes, com a impressão de que ela era muda. Sendo uma pessoa solitária, era também boa ouvinte. Reparava nas coisas, pormenores estranhos, factos que não interessavam a mais ninguém: quantos degraus levavam à porta do museu, quantas rachas havia no tecto do quarto emprestado onde dormia, quantos empregados do museu apanhara a fumar na casa de banho. Coisas inúteis. Agora, por exemplo, enquanto as outras mulheres comiam bolo, um bolo azul e branco de aspecto pegajoso, Meredith olhou pela janela e viu um homem alto a sair do seu carro preto no parque de estacionamento do outro lado da rua.

O homem do outro lado da 23rd Street deixou as chaves ao empregado do parque e passou a mão pelo cabelo. Vestia um casaco cinzento e atravessou a rua pelo meio do trânsito, seguido por uma mulher de cabelo ruivo. Meredith presumiu que fossem marido e mulher, pela forma como o homem atravessava sem se preocupar em garantir a segurança da mulher. Um casal típico. Os pais de Meredith eram assim antes de se divorciarem; discutiam sempre que passavam mais do que algumas horas juntos e já levavam vidas separadas muito antes de os papéis estarem assinados.

Meredith tinha esperança que este casal que se dirigia à porta do salão de chá fossem os próximos clientes da médium. Assim a festa podia finalmente acabar e ela podia escapar-se ao jantar com uma desculpa qualquer e apanhar um táxi para o seu apartamento emprestado. Ellen estava finalmente a arrumar as suas prendas. A camisa de dormir horrível, os manuais de sexo engraçados, os lençóis de cetim. A médium aproximou-se do canto onde Meredith estava escondida. Exactamente aquilo que ela mais temera. Alguém interessado no seu futuro.

— E a sua sina? — A médium chamava-se Rita Morrisey e tinha jeito para dizer às pessoas aquilo que elas queriam ouvir. À distância, calculara que a melhor aposta para esta mulher tímida seria um namorado e uma viagem sobre o mar até novos horizontes. Agora, não tinha tanta certeza.

— Não, obrigada — recusou Meredith.

A sineta por cima da porta tilintou e o homem alto entrou. Fechou a porta, mais uma vez não se dando ao trabalho de esperar pela mulher. Tinha perto de quarenta anos e era um homem bem parecido, de ar sério. Instalou-se na sala de espera e olhou em volta com uma expressão desconfortável.

— Pobre tipo — disse Rita.

— Onde está a mulher dele?

Rita Morrisey olhou para Meredith. A médium tinha um rosto atraente, perspicaz e desconfiado.

— Qual mulher?

— A ruiva que vinha atrás dele na rua.

— Não brinque comigo — disse Rita. — Ele é um cliente habitual. Está a ser assombrado pela primeira mulher.

Meredith olhou para a sala de espera. O homem alto estava sozinho; pegara numa revista *National Geographic* e estava a folheá-la.

— Não parece o tipo de pessoa capaz de vir a um sítio destes.

— Bom, nunca sabemos, pois não? Para sua informação, há uma data de coisas a acontecer na casa dele, no Connecticut. Fuligem, vozes, pratos. É clássico. São esses os sinais.

Meredith estava confusa.

— Sinais?

— De um fantasma. Pratos a partirem-se, vozes a meio da noite, fuligem nas roupas de toda a gente, sapatos alinhados no corredor, armários abertos. Acho que é a mulher. Geralmente são criaturas chateadas que estão por trás destas coisas. Pessoas traídas, perdidas, confusas. Acabam por se deixar ficar.

O resto do grupo estava pronto para sair. Invadiram a sala de espera, tapando o sofá da vista de Meredith. Agora era ela que estava a ficar para trás.

— Anda! — chamou Ellen. — Estamos a morrer de fome!

Enquanto Meredith hesitava, as outras saíram; conseguia ouvir os seus risos enquanto desciam o lanço de escadas que dava para a rua.

— Vá-se embora e esqueça-o — disse Rita Morrisey a Meredith. — Uma alma atormentada não é para brincadeiras.

— Não acredito em fantasmas — disse Meredith em tom afectado.

— Melhor para si.

— Não acredito em nada — admitiu Meredith.

Mas a médium já não estava a ouvir. Enfiou a cabeça na sala de espera.

— Mr. Moody, por favor, entre.

O homem alto chocou com Meredith quando se cruzaram à porta, ele a entrar para a sua sessão e ela a sair para a sala de espera.

— Desculpe — disse Meredith.

Ele não prestou atenção. Nem sequer acenou.

Meredith saiu para a sala de espera. A mulher ruiva estava lá agora, sentada no sofá. Era jovem, vinte e tal anos, com um vestido branco e sapatos de pele macia; o cabelo dava-lhe pela cintura e tinha tantas sardas que se colavam umas às outras na testa e faces.

— Olá — disse Meredith.

A mulher olhou para além de Meredith.

— Estás pronta, sua tartaruga? — Ellen voltara para trás. Pegou no braço de Meredith e levou-a para o exterior. Desceram as escadas dois degraus de cada vez e saíram para o calor sufocante. — Decidimos ir a pé até à Union Square e jantar lá. Há um restaurante fabuloso e a Jessie diz que nos consegue mesa. Conhece o irmão do cozinheiro. Ou o primo.

Meredith pestanejou sob a luz branca do Verão. Não era muito boa mentirosa.

— Gostava muito de poder ir... — disse. Certo.

— Mas não podes. Nunca podes.

— Sou anti-social. Sabes bem que sou assim.

Ellen beijou Meredith nas faces.

— Adorei a camisa de dormir.

Assim que Ellen e as amigas se afastaram, Meredith atravessou a rua e entrou num supermercado. O calor e a humidade eram de tal ordem que a sua pele já estava molhada de suor. Este calor de Nova Iorque fazia com que o Verão nos outros sítios parecesse uma brincadeira de crianças. Apesar disso, para Meredith era um alívio estar num sítio feito unicamente de betão; nada de piscinas, nada de relva, apenas o asfalto derretido e o turbilhão do trânsito. Meredith comprou um sumo de goiaba, certificando-se de que ficava em frente da ventoinha ao lado da caixa registadora, enquanto pagava, e abriu a garrafa. Olhou para a rua; através da montra da loja conseguia ver para o interior do salão de chá. A mulher ruiva estava de pé, à janela. Abriu-a e caiu fuligem do parapeito.

Meredith pousou o sumo no balcão.

O vestido da mulher ruiva agitou-se na brisa, como uma nuvem.

— Não faças isso! — disse Meredith.

— Eh, quem é você para me dizer o que posso fazer? — disse o tipo atrás da caixa registadora.

Do outro lado da rua, a mulher estava agora de pé no parapeito da janela. Estendeu os braços e o vestido branco esvoaçou à volta dela.

Meredith correu para a porta do supermercado e abriu-a. O calor atingiu-a de novo. Tijolos e pedras. Fuligem e cinzas. Meredith ergueu os olhos, em pânico; tudo o que conseguia ouvir era o barulho ensurdecedor da 23rd Street, os autocarros, os camiões, as sirenes. Demorou um instante a recuperar a orientação.

Não estava ninguém no parapeito.

Estava calor, demasiado calor para pensar; o Verão era sempre mau para Meredith. Época de piscinas. Gostaria de poder enfiar-se debaixo da cama até ao Outono, até o ar estar fresco e as folhas amarelecidas. Uma época do ano muito melhor.

Dirigiu-se à paragem do metropolitano na 8th Avenue, mas depois reparou no parque de estacionamento onde vira pela primeira vez o homem alto. Na fila da frente estava um *Mercedes* preto com matrícula do Connecticut. Meredith aproximou-se da cabina do empregado do parque.

— Acho que combinei encontrar-me aqui com o meu marido. Um homem alto, de fato cinzento.

— O *Mercedes* — disse o empregado. — Ele disse que ia demorar pelo menos uma hora.

O empregado entregou a chave a Meredith. O nome e a morada de casa estavam escrevinhados numa letra que lhe custou a decifrar. *Moody. Madison, Ct.*

Devolveu rapidamente a chave.

— Devo estar enganada. Se calhar combinámos noutro sítio qualquer. Este não é o nosso carro.

Meredith afastou-se a correr e mandou parar um táxi na 8th Avenue. Atirou-se para dentro do carro, as pernas molhadas colando-se ao banco. Normalmente não esbanjava dinheiro em táxis; não achava que valesse a pena. Mas agora inclinou-se para a frente e disse: — Depressa. Vamos!

— Tenha calma — disse-lhe o motorista. — Chegará ao seu destino.

Mas Meredith não sabia dizer exactamente qual era esse destino e como havia de lá chegar.

Ouvia-se água no quintal dos Moody. Era a primeira coisa em que todas as pessoas reparavam quando se aproximavam da casa, uma piscina a correr para dentro de outra por cima da enorme borda. O primeiro cheiro? Relva cortada e cloro. Verão. Campo. Algo onde uma pessoa se podia afundar, tal como o dia se afunda no crepúsculo. A primeira imagem? A sebe de buxo, com três metros e meio de altura, e depois, como uma miragem, o Sapato de Cristal. Todo aquele vidro e aço. As árvores reflectidas perante Meredith, como se estivesse duplamente perdida no bosque.

No cimo do vidro havia uma área lisa no telhado, um precipício ao qual só se podia aceder através do sótão. Era aí que Sam Moody estava, de mãos nas ancas. Conseguia sentir a brisa que transportava as andorinhas. O suor escorria-lhe pelo rosto e pelas costas. Tinha dezasseis anos e era alto, tal como a mãe previra. Batia com a cabeça em todo o lado onde ia, mas não aqui, onde tinha apenas o céu.

Sam estivera em sítios bastante maus nos últimos dois anos. Entradas sombrias e caves onde tinha de se agachar. Passagens subterrâneas, onde o betão estava apenas a centímetros da sua cabeça. Ruas sem saída, onde tinha de se encolher e fazer-se pequeno para evitar que alguém reparasse nele e lhe desse uma tareia.

No telhado não tinha de se dobrar nem curvar; o mundo era interminável, ininterrupto. Inspirou grandes golfadas de ar.

A madrasta foi a primeira a vê-lo, quando saiu de casa para apanhar o jornal de sábado. Protegeu os olhos semicerrados com a mão, apercebendo-se de que não era uma cegonha enorme, apenas ele, Sam, a cruz da sua existência. Cynthia começou a gritar. Ele não conseguia perceber as palavras mas, na verdade, nunca lhe dava ouvidos. Ela estava sempre a dar-lhe ordens. Cynthia correu para dentro de casa e voltou a sair com o pai. A artilharia pesada, a figura de autoridade, o homem da Lua. O seu pobre e estúpido pai, que ameaçou chamar a polícia.

— Desta vez mando-te para longe daqui — avisou John.

Na verdade, *para longe* era para onde Sam Moody queria ir. Um sítio distante, azul e inatingível. Estava mais calor no telhado do que ele julgara que estaria a esta hora da manhã. Geralmente, ainda estava na cama a esta hora, atrasado para as explicações extra por causa da Matemática, a que chumbara; conseguia dormir mesmo com os gritos de Cynthia a dizer-lhe que se levantasse. Esta manhã marcara o despertador, mas já estava acordado antes de ele tocar, levantara-se com os pássaros. Estava farto de Matemática e das explicações e de uma vida de tretas. Conseguia sentir o odor intenso dos buxos e o aroma penetrante do cloro. A sua irmã mais nova costumava organizar festas na piscina e todos os miúdos do bairro vinham nadar e mijar na piscina deles. Quando estas festas tinham lugar, Sam trancava-se no quarto até Blanca bater à sua porta e dizer: *Está tudo bem, já podes sair. Já se foram todos embora.*

O pai e Cynthia voltaram a entrar na casa, que tinha ar condicionado. Porque haviam de ficar a transpirar aqui fora com ele, quando Sam se recusava a ouvir uma palavra do que diziam e, naturalmente, se recusava a descer? Sam ficou à espera da polícia, interrogando-se se o pai teria realmente tomates para a chamar, ou se John Moody estaria apenas sentado na cozinha, irritado e calado como de costume. O pai de Sam culpava-o por tudo. E não apenas pelas más notas e pelos acidentes de carro que tivera e, claro, pelas drogas — não que o pai soubesse da extensão desse problema. Para além de todas as suas asneiras, Sam era também o bode expiatório por acontecimentos estranhos que não tinham nada a ver com ele. Pratos partidos na cozinha, fuligem a cair da chaminé, vozes murmuradas no corredor a meio da noite.

O mais provável era que fosse Cynthia a responsável por estas coisas e que pusesse a culpa nele. Cynthia a tentar dar com eles todos em loucos. Outra vez. Ela tinha um lado cruel, um lado perverso, um lado a preto e branco, e agia como se fosse muito inteligente quando era uma idiota emocional em relação à maior parte das coisas. Por exemplo, esta manhã, achava que Sam estava a tentar suicidar-se. Achava que era por isso que ele estava no telhado, quando essa nunca fora a sua intenção. Se quisesse fazê-lo, teria sido fácil. Não precisaria de chamar as atenções para si próprio. Não, se Cynthia conseguisse admitir a cabra que era, perceberia por que motivo Sam tinha de fugir. E, se alguma vez tivesse coragem para admitir que o marido era um grande filho da mãe, ela própria correria para a liberdade.

Era interessante a visão dali de cima. Tudo parecia muito mais pequeno. Sam fumara erva antes de subir para o telhado, apenas um pouco. Nada de drogas pesadas a esta hora do dia. Uma vez, tomara um comprimido de LSD e fora ali para cima, o que se revelara um erro. Ficara tão desorientado que não conseguiu perceber em que direcção ficavam as estrelas e em que direcção ficava a terra.

Um carro aproximou-se e estacionou. Não era um carro da polícia nem uma ambulância, apenas um velho *Volkswagen* «Carocha». Uma mulher jovem saiu. Alta. Vinte e poucos anos. Vestia calças de ganga e uma camisola de alças e trazia óculos de sol; o cabelo escuro estava preso num rabo-de-cavalo e parecia confusa. Talvez fosse uma cadete da polícia ainda em formação. Sam estava a olhar para ela com tanta atenção que os pés lhe escorregaram. Tinha ténis calçados, que guincharam contra o vidro. Rapidamente, evitou a queda, agitando os braços, como se estivesse a tentar levantar voo.

A mulher, Meredith Weiss, olhou para cima.

Uma miragem, pensou. *Como o parapeito da janela. Uma cegonha que parecia um rapaz adolescente.*

Mas não, ele era real e estava a fumar um cigarro.

— Chamas-te Moody? — gritou, para o telhado.

— Sam — gritou ele para baixo.

— Eu sou a Meredith.

— Que bom para ti. — Sam ficou com a garganta a doer devido ao nível elevado de decibéis. Não era pessoa de gritar. Era mais do tipo silencioso. Uma vez, estivera um mês inteiro sem dizer uma única palavra ao pai ou a Cynthia. Pensou que a sua mudez daria com eles em doidos, mas saiu-lhe o tiro pela culatra: eles tinham parecido aliviados.

— Nunca tinha estado no Connecticut — disse Meredith ao rapaz.

— É verde e aborrecido. Mais vale dares meia-volta e voltares para de onde vieste.

Meredith riu-se.

— Está calor. Quase tanto calor como em Nova Iorque. Queres um sumo de lima? Tenho dois pacotes.

Sam estava a suar tanto que tinha a camisa ensopada. O sol ali em cima era intenso. O ar estava parado. Tinha as pernas encharcadas de suor e os pés escorregadios dentro dos ténis.

— Pode ser — disse.

Sam dirigiu-se lentamente à porta do sótão e desceu; lá dentro, fechou o alçapão e trancou-o. Desceu para o primeiro piso, depois para o rés-do-chão, para a cozinha, onde o pai e Cynthia estavam a discutir.

— Já estou farta disto — estava Cynthia a dizer. — É sempre a mesma coisa e nós continuamos a aturá-lo.

O pai de Sam estava de costas para toda a gente, como de costume; imóvel, como de costume.

— Vejo que estás a chamar a polícia — disse Sam.

Eles olharam para ele como se fosse um fantasma.

Antes que conseguissem detê-lo, Sam atravessou a casa e saiu pela porta da frente. A mulher do *Volkswagen* estava de pé no caminho, encostada ao carro, com dois pacotes pequenos de sumo de lima nas mãos. Bom, pelo menos havia alguém que não mentia em relação a tudo.

— Muito melhor do que limonada — disse ela.

Sam aceitou um dos pacotes de sumo e abriu-o. Era raro ele achar alguma coisa divertida.

— E tão verde.

Meredith apontou com um aceno de cabeça para o telhado onde Sam estivera.

— Como são as coisas vistas lá de cima?

Sam olhou de soslaio para ela. Estava a falar a sério. Queria mesmo saber. Quem era esta mulher, afinal?

— Distantes — respondeu Sam. — Principalmente quando estamos pedrados.

— Hum. — Meredith bebeu um gole de sumo. Sabia que ele queria uma reacção e não tencionava fazer-lhe a vontade. Quem era ela para julgar? Uma empregada de museu disfuncional que não tinha nada melhor para fazer do que andar à caça de fantasmas.

— E o que vieste aqui fazer? — Sam estava mesmo interessado, o que não acontecia muito frequentemente.

Não parecia haver motivo para mentir. Pelo menos completamente.

— Estou perdida — disse Meredith.

Os pais estavam a observá-los da janela da sala. Pareciam dois idiotas.

— Pai, madrasta — disse Sam, quando viu Meredith a olhar para eles. — Uma irmã, nas aulas de *ballet*. Ela é a boazinha.

Fizera de propósito para que Blanca não se assustasse se o visse no telhado. Era apenas uma miúda.

— Merda! — disse Sam quando o pai e Cynthia saíram. — Cuidado. Imbecis em aproximação.

— Podemos ajudá-la? — perguntou Cynthia a Meredith.

— Não sei. Estava perdida. Por acaso vi a vossa bela casa, parei e começámos a falar.

Na verdade, conduzira até ao centro de Madison, entrara numa farmácia e procurara o nome Moody na lista telefónica local. Mockingbird Lane. Não fora muito difícil de encontrar.

— Vai para o teu quarto — disse o pai, John Moody, a Sam. — Falamos mais tarde.

— Talvez devesses chamar os Serviços Sociais — disse Sam a Meredith antes de se afastar. — A dar parte de abuso de menores. Obrigado pela bebida.

— Importa-se de me dizer como fez isso? — perguntou John Moody a Meredith assim que Sam entrou em casa.

— Saí na estrada 95 e fiquei desorientada... — começou Meredith.

— Não me referia a ter-se perdido. Como o convenceu a descer?

— Não sei. Ele é apenas um miúdo — disse Meredith.

Olhou com atenção para John; tinha o mesmo ar preocupado em que ela reparara no salão de chá na 23rd Street. A mulher ruiva não estava à vista. Meredith olhou para cima. Não havia parapeitos de janela. Apenas vidros unidos por faixas de aço.

— Talvez consiga convencê-lo a ir às explicações — disse Cynthia. — Deus sabe que eu não consigo.

— Porque gritas com ele como uma maldita carpideira — disse-lhe John, mesmo em frente de uma estranha.

— Se a minha autoridade não estivesse constantemente a ser minada, talvez não tivesse de o fazer.

Cynthia vestia calções e uma camisola branca. Começara a jogar ténis. Os joelhos andavam a incomodá-la, pelo que deixara de correr, mas precisava de alguma coisa que a tirasse de casa. Não tencionava jogar em Wimbledon, apenas ter algumas horas só para si, longe desta família complicada. Pedira à enfermeira que tomara conta de Arlyn, Jasmine Carter, para ficar como ama, mas esta informara Cynthia de que o seu trabalho era tomar conta de pessoas doentes e o trabalho de Cynthia era tomar conta dos enteados. Provavelmente, Arlyn virara a enfermeira contra ela. Bom, nos dias que corriam, quem é que não estava contra ela?

Cynthia tornara-se uma pessoa nervosa. Agora, por exemplo, estava a brincar com as chaves do carro.

— Olha, tenho de ir buscar a Blanca ao *ballet* e vir deixá-la em casa antes de ir ter com a Jackie ao clube. Obrigada — disse a Meredith. — A sério. Tem jeito para miúdos — Cynthia entrou num *Jeep* branco estacionado ao fundo da sebe de buxo. — Quero que a contrates — gritou a John. — Não me interessa se o nome dela é Lizzie Borden[1].

— É Meredith Weiss — disse Meredith a John enquanto Cynthia se afastava.

— Não temos conseguido manter nenhuma empregada mais do que um mês — explicou John Moody. — O Sam é um miúdo muito difícil. E cai tudo em cima da Cynthia.

— Oiço água a correr — disse Meredith. — Está alguma torneira aberta?

John Moody fez-lhe sinal para que o seguisse até às traseiras da casa. Ali estava a piscina, com a sua cascata a cair sobre a borda enorme para a segunda piscina, mais abaixo. Meredith conseguia ver para além da primeira borda, se se pusesse em bicos de pés. Os nadadores sentem a atracção da água e Meredith conseguia senti-la. Um formigueiro percorreu-lhe a pele.

— Fui nadadora no liceu. — Meredith sentiu-se imediatamente estúpida por ter dito algo sobre si própria. Porque havia este homem desconhecido de se interessar?

— Acho que o Sam nunca esteve na piscina. Nem uma vez.

— E tem também uma menina? — Havia mosquitos no ar e Meredith enxotou-os com a mão. Há anos que não nadava. As pessoas diziam que os nadadores tinham memória muscular; se atirassem um nadador para dentro de água ele começaria imediatamente a fazer piscinas. Meredith sentiu sede enquanto olhava para a piscina; estava absolutamente sequiosa.

— A Blanca. Tem dez anos. — John Moody olhou para o relvado. — Mas não é ela o problema.

Ultimamente, sem razão aparente, John andava com problemas de estômago. Talvez fosse uma úlcera, ou algo pior. Mas não tencionava ir ao médico ver o que era. Desde o que acontecera com Arlie, tinha medo de médicos. Estava a fazer a sua própria dieta: nada de sal e cafeína. Pouco depois de Cynthia ter deixado de correr, ele começara a fazê-lo. Dezasseis quilómetros por dia. Qualquer coisa para sair dali. Todos os dias detectava sinais de algo que não

---

[1] Lizzie Borden (1860-1927) foi acusada de ter assassinado o pai e a madrasta à machadada. Foi julgada e absolvida, mas condenada pela opinião pública. Caso muito mediático que a transformou numa figura do folclore americano. *(N. do E.)*

queria ver: tudo o que fizera de errado na vida. Meredith, ao lado dele, sentiu uma onda de tristeza, tão forte que quase a derrubou. Julgou ver algo no telhado da casa. Apenas uma nuvem. Uma mancha branca tremeluzente.

— E a mãe das crianças? — Meredith queria perguntar: *Tinha cabelo ruivo? Segue-o para todo o lado? Aparece e desaparece à frente dos seus olhos?*

— Morreu — disse John. — Cancro.

— Talvez eu possa falar um pouco com o Sam antes de voltar para o carro. Só para ver se está tudo bem.

— Claro. É muito amável da sua parte. Mas deixe-me mostrar-lhe a casa antes de ir. Na verdade, é bastante famosa. A casa mais famosa de Madison.

O Sapato de Cristal era tão impressionante por dentro quanto por fora; havia luz por todo o lado, verde a toda a volta. O quarto de Sam era no primeiro piso. Meredith sentiu-se tonta nas escadas. Tanto vidro. Uma nave espacial no universo infinito. Um frasco de espécimes onde se guardavam traças e escaravelhos.

John indicou a Meredith o quarto de Sam, ela agradeceu-lhe e bateu à porta.

— Vim só despedir-me — disse, quando se tornou evidente que Sam não ia abrir a porta, julgando que fosse o pai ou a madrasta.

Quando percebeu que era Meredith, a porta abriu-se. O quarto cheirava a fumo. Acre e selvagem.

— Entra — disse Sam.

O quarto estava uma confusão. Havia roupas espalhadas por todo o lado. As paredes estavam pintadas de preto, sob um tecto de vidro.

— Espantoso — disse Meredith, referindo-se ao tecto.

— Os quartos são todos assim.

— Uau... Tens muita sorte.

— Não sabes nada a meu respeito, portanto essa é uma afirmação de merda e completamente estúpida — disse Sam. Ameaçador. Recuando.

Estaria a tentar assustá-la?

— Estava a falar do tecto — disse Meredith. — É um quarto fantástico. Não posso dizer se tens ou não sorte na vida, já que não te conheço.

85

Mas podia dar um palpite, não podia? Não devia ter muita sorte. A mãe morta, a madrasta furiosa, o pai tão distante, à procura de algo que podia ou não estar ali.

Sam riu-se.

— Sim, toda a gente na cidade me inveja por causa do meu tecto.

Ouviram música durante algum tempo; ele tinha um gira-discos antigo e discos que Meredith ouvira quando era miúda. Podia ter ficado mais algum tempo, na verdade não tinha nada para o que regressar. Foi nessa altura que achou que o melhor era partir.

— Tenho de ir — disse Meredith. — Provavelmente vou perder-me no caminho para a cidade.

— Eu não ia matar-me quando estava lá em cima, sabes — disse Sam.

— Eu sei.

Meredith sabia perfeitamente que, quando uma pessoa queria mesmo suicidar-se, não tentava atrair espectadores. Talvez afinal conhecesse Sam, de alguma forma mais profunda.

— Pelo menos, não desta vez — disse Sam. — Mas vejo sentido nisso. Saída de cena. Controlar o próprio destino.

Meredith reparou na colecção de facas em cima da secretária.

— O teu pai deixa-te ter isto?

— O meu pai é um idiota. Além disso, são antiguidades. Facas cerimoniais japonesas. Não são suficientemente afiadas para fazer mal a ninguém.

— Ainda bem — disse Meredith.

— E esse não é o meu estilo. Sangue e tripas.

— Nem o meu — disse Meredith.

— Estás mesmo perdida?

Sam conteve a respiração. Queria que alguém fosse honesto com ele. Qualquer pessoa. Até mesmo uma desconhecida.

— Perdida no sentido em que não me oriento no Connecticut?

— Está bem. — Sam sorriu. Ninguém dizia a verdade. — Claro. Se assim o dizes. Passa por cá se alguma vez voltares a perder-te por estes lados.

Meredith desceu as escadas e encontrou John Moody à sua espera.

— Oiça, não sei como o convenceu a descer do telhado, mas, se alguma vez estiver interessada, eu contrato-a sem pensar duas vezes. Onde quer que esteja a trabalhar, pago-lhe mais para ajudar a Cynthia. Incluindo cama e mesa, claro. E seguro médico. Olhe, até lhe pago o seguro do carro, se ficar. A verdade é que você consegue lidar com o Sam, o que é inédito.

— Está a pedir-me que deixe o meu emprego maravilhoso na loja de recordações do Museu Metropolitano de Arte?

Meredith estava a brincar, a ganhar tempo, mas John olhou para ela, confuso. Talvez pensasse que ela estava a tentar extorquir-lhe mais dinheiro. Talvez não lhe interessassem os motivos, desde que ela ficasse.

— Posso pagar o dobro do que o museu lhe paga — disse ele.

— O Sam é assim tão mau?

— Não quando você está a lidar com ele. A questão é essa.

— Vou pensar no assunto.

John acompanhou-a até ao exterior. Do alpendre, Meredith olhou para o caminho. Estava alguém à espera deles. Uma mulher ainda jovem, à sombra dos buxos.

— Está a ver aquilo? — perguntou Meredith.

Antes que John pudesse responder, o *Jeep* de Cynthia aproximou-se e estacionou.

— Vai pensar mesmo nisso? — perguntou John.

— Talvez — respondeu Meredith.

Cynthia saiu, bem como uma menina loira de dez anos com um fato justo e sapatilhas de *ballet*. A criança correu pelo caminho de gravilha. Era magra, toda cotovelos e pernas, e trazia o cabelo preso numa longa trança até à cintura.

— Vou ser um dos ratinhos no festival de dança do final do Verão! — declarou. — Sou um rato! É o segundo melhor papel.

A menina parou quando viu Meredith ao lado do pai.

— Oh, olá.

— Blanca, esta é a Meredith — disse John Moody. John olhou para Meredith e esta devolveu o olhar. — Talvez ela venha viver connosco algum tempo. Dar uma ajuda cá por casa.

— Bom, Deus seja louvado. — Cynthia deixou cair no chão o saco de *ballet* de Blanca. — Querida, não sei de onde veio nem para onde vai — disse a Meredith —, mas acaba de me salvar a vida.

*

No início do ano escolar, Cynthia entregou-lhe a agenda de Blanca, muito bem dactilografada. Horários das aulas, lições de *ballet*, curso de arte, treino de futebol, consultas médicas de rotina, dentista, festas de aniversário das amigas, bilhetes para a época do festival de dança Dance Umbrella. Sempre que tinha algum tempo livre, Blanca enfiava o nariz num livro ou queria ir à biblioteca. Mas, e Sam? Para ele não havia nada. Absolutamente nenhum tipo de agenda. Houvera consultas com psiquiatras, assistentes sociais, mediadores e um programa de desporto forçado, gerido por um ex--fuzileiro. Sam recusara-se a ir. Tinha o hábito terrível de se espetar com alfinetes e os seus braços estavam cobertos de cicatrizes, mas também não tinham conseguido fazer nada a esse respeito. Nem conseguiam impedi-lo de fazer um truque que aprendera sozinho: pendurava-se como um morcego, de cabeça para baixo, no ramo de uma grande macieira. Era capaz de ficar assim horas. Uma vez desmaiara, depois de estar metade do dia nessa posição invertida, ao calor, e sofrera um traumatismo craniano ao bater com a cabeça no chão.

As suas actividades depois das aulas? Também não pareciam conseguir controlá-las. Drogas e álcool, com uma escalada contínua em termos de quantidade e potência. O pó que Cynthia encontrara no quarto dele não era cocaína, como ela pensara, mas sim heroína. Para quem não quisesse saber, era possível compreender mal praticamente tudo. Havia dias em que Sam dormia vinte horas seguidas. Podiam despejar-lhe um balde de água em cima, como Cynthia fizera uma vez, enraivecida, que ele não se mexia. Outras noites, conseguiam ouvi-lo de um lado para o outro até de manhã. Uma noite, fora a pé e à boleia até Providence, e de novo para casa. Dissera que queria experimentar uma especialidade de Rhode Island, panquecas estaladiças servidas com manteiga, mas na realidade conhecia alguém numa residência da universidade que vendia *ecstasy*. Sabiam que ele frequentava as zonas mais duvidosas de Bridgeport e que apanhava o autocarro para a baixa de Manhattan; não queriam pensar nas razões. Não passava de um pequeno salto, dos alfinetes para as agulhas. Era muito simples, na verdade: uma pessoa picava-se e, em vez de dor, não sentia absolutamente nada.

88

Mesmo quando Sam adquiria hábitos normais, as coisas corriam mal. Durante algum tempo, levantara halteres de forma obsessiva, adicionando cada vez mais peso; parecia não conseguir parar, até que Cynthia ficou tão farta de ouvir os halteres a baterem no chão a noite toda que chamara alguém para levar aquela tralha, doando o equipamento a um abrigo para pobres na baixa. Estava preparada para uma grande explosão, mas Sam não disse uma palavra quando viu que os halteres tinham desaparecido. No entanto, de manhã, todas as peças do serviço de porcelana, do primeiro casamento de Cynthia, estavam em cacos.

Sam negou ter tido alguma coisa a ver com o assunto.

— Tira-me as impressões digitais! — gritou. — Leva-me à esquadra! Desafio-te!

— Na verdade, a culpa foi minha. — Blanca ouvira a gritaria e estava a assistir, à porta. — Ia tirar um jarro para fazer limonada e caiu tudo. Tive medo de te contar.

Sam virou-se para Blanca e riu-se bem alto. Conhecia a irmã.

— Não foste tu. Isto não é coisa tua, Ervilha.

— Prometo que, da próxima vez que fizer alguma asneira, conto logo — disse Blanca num tom doce. — Pensei que podia apanhar os cacos e fazer de conta que não tinha acontecido nada.

— Mentirosa — ralhou Sam, mas ninguém lhe ligou. Excepto Blanca; cruzou os dedos atrás das costas, para o irmão ver.

— Não faz mal — disse Cynthia à enteada num tom tranquilizador. — Não te preocupes. Tudo o que ficou do meu primeiro casamento era mau, até a loiça. Nunca a usava, de qualquer maneira.

Blanca sorrira e deitara a língua de fora ao irmão. Ela conseguia sempre safar-se com facilidade, em especial quando era para o proteger.

— Não fui mesmo eu, sabem — disse Sam a Blanca e a Meredith, mais tarde.

— Que importa? Ela disse que os pratos eram horríveis — respondeu Blanca.

Quando teve algum tempo só para ela, Meredith foi à garagem remexer no lixo. Ali estava a loiça partida, num balde. Os cacos eram frios como pedaços de gelo. Na beira dos pratos havia uma fina linha preta. Fuligem. Um dos sinais de um fantasma. Meredith ouvira uma voz do lado de fora do seu quarto na primeira noite que dormira na casa. Era o quarto onde Jasmine Carter, a enfermeira, vivera durante a fase pior da doença de Arlyn Moody. Meredith estava deitada na cama, a olhar para as estrelas através do tecto de vidro. Ali estava a Via Láctea, a rodopiar na noite. Alguém dissera *água*. Bom, provavelmente ela própria, a pensar em voz alta. Tinha sede, por isso desceu as escadas para beber água. Vestia uma *T-shirt* e calções, a roupa que usava sempre para dormir. Estava descalça. Pisou qualquer coisa e olhou para baixo. Um montinho de ossos de pássaro no meio do chão. Devia haver um gato e este fora o seu jantar, tudo o que restava de uma pobre carriça ou cotovia. Meredith saiu da casa. Gostava do campo à noite, da escuridão que envolvia tudo. Para ela, era estranho viver tão perto de uma piscina. Apesar disso, o som da água atraía-a. Caminhou sobre a relva húmida e sentou-se na beira da piscina, com os pés dentro de água. John Moody não aquecia demasiado a piscina. Estava na temperatura perfeita.

— Não vais afogar-te, pois não? — Sam estava cá fora, ao escuro, numa espreguiçadeira, a fumar haxixe. O cheiro era perfumado e intenso.

— Não tens medo de ser apanhado? — perguntou Meredith.

— Acabo de ser — respondeu Sam. — Água, fogo, ar. Qual escolhes?

— Água — disse Meredith. — Estava a falar de seres apanhado pelo teu pai ou pela Cynthia. O que estás a fazer é ilegal, sabes? Se encontrar alguma coisa dessas no teu quarto, deito-a fora. Não podes dizer que não te avisei.

— O meu quarto está sempre fechado à chave. Além disso, há sempre um fornecimento interminável de drogas disponível, se conhecermos as pessoas certas. — Depois Sam declarou: — Eu escolho o ar.

— O que é aquele monte de ossos na cozinha? — perguntou Meredith.

— Encontrei-os no relvado. Pensei em deixá-los como presente para a Cynthia.

— És mesmo o filho perfeito. — Meredith riu-se. — Apaga o cachimbo.

— Enteado. — Sam deu mais uma baforada e despejou as cinzas para o chão do pátio.

90

— Ouvi uma voz do lado de fora do meu quarto. — Meredith agarrou no cachimbo quando Sam o pousou na mesinha de vidro. Tencionava deitá-lo ao lixo.

— É o primeiro sinal de loucura — disse Sam. — O que é que a voz te disse?

— Água.

— Hum — disse Sam. — Interessante. A mim, a voz diz-me sempre que a vida é uma confusão sem sentido, de pó, ossos e merda.

— Sam — disse Meredith.

— Estou a avisar-te — disse-lhe ele. — Nem sequer tentes ver através de mim, ou lá o que estás a tentar fazer. Sou uma causa perdida.

Mas ela tentou. Afinal de contas, era o seu trabalho. Mas era também algo mais, talvez a sua missão. Talvez fosse por isso que John Moody a quisera contratar; percebera que ela gostava de reparar as coisas. Queria desesperadamente ser bem sucedida onde os outros antes dela tinham falhado. No entanto, parecia não haver maneira de tirar Sam da cama de manhã. Ela tentou vários despertadores, rádios aos berros, bater panelas do lado de fora da porta do quarto. Sem reacção. Blanca era o oposto, sempre o mais pontual possível. Descia para a cozinha já pronta para o dia, com o cabelo entrançado, os trabalhos de casa feitos e arrumados na mala, um livro aberto à sua frente enquanto comia as torradas com doce.

— É melhor não esperarmos por ele — dizia geralmente a Meredith. — Se me fores levar e depois voltares ainda consegues deixá-lo na escola a tempo da primeira aula, mas, no teu lugar, eu não contava que ele estivesse acordado.

Ainda estavam a tentar. Sam não desistira oficialmente do liceu; simplesmente nunca lá ia.

— Talvez devêssemos arranjar-lhe um tutor — sugeriu Meredith a John Moody. — Ou eu mesma podia ensiná-lo, para que ele pudesse fazer os exames finais e ficar com o diploma do liceu.

— Ele nunca concordaria — disse-lhe John. — Se há alguma coisa que possa eventualmente deixar-me feliz, ele é fisicamente incapaz de a levar a cabo.

— Não me parece que tenha alguma coisa a ver consigo.

Olharam um para o outro. Estavam na cozinha e John preparava uma bebida. Ouvia-se o som do gelo a tilintar.

— Acho que tem a ver com ela — disse Meredith.

— A Cynthia tentou tudo por tudo com aquele rapaz. Foi muito além da sua obrigação, portanto não vamos culpar a Cynthia.

Para John Moody, a conversa terminara. Mas tinha de passar por Meredith, que lhe bloqueou o caminho.

— Referia-me à mãe dele — disse Meredith.

Tanto quanto Meredith sabia, a mulher de cabelo ruivo podia estar atrás dos buxos naquele preciso momento. Havia sempre sombras onde não devia haver. No caminho, no relvado, atrás dos lilases. Bastava uma pessoa estar atenta.

— A mãe dele partiu — disse John Moody. — Fim de conversa.

— Será que partiu?

— Não partiu? — perguntou John.

— Não se sente assombrado? Não sente a presença dela?

Cynthia estava no corredor, à escuta, incomodada com a intimidade entre Meredith e John. Entrou na cozinha e passou o braço à volta da cintura do marido.

— Não se importa que eu o leve, pois não? — perguntou Cynthia.

Desde que chegara ao Connecticut, Meredith sentia Cynthia a observá-la. Esta não era a primeira vez que percebia que ela tinha estado à escuta sem se deixar ver. Sempre de olhos semicerrados e um sorriso, como se estivesse a tentar resolver um *puzzle*. Sentava-se numa espreguiçadeira e observava Meredith, deitada numa toalha sobre a relva, a ler, aproveitando o tempo em que Blanca estava na escola. Sam ainda se isolava no quarto. Estava agora a pintá-lo com tinta fluorescente, que brilharia quando acendesse uma luz negra. Blanca e Meredith, por outro lado, passavam imenso tempo juntas. Meredith não fazia ideia de que as crianças podiam ser tão interessantes e inteligentes. Francamente, sentia-se mais à vontade com Blanca do que com a maioria dos adultos. O Connecticut parecia-lhe seguro, uma bolha a flutuar sobre o mundo real.

— Continuo a não perceber — disse Cynthia, numa tarde de Setembro. Tudo o que era verde estava a ficar dourado. Meredith estava no caminho em frente à casa à espera de Blanca. O autocarro escolar parava ao fundo da rua e Blanca demorava sete minutos a chegar a casa se corresse, onze se viesse em passeio. Cynthia saíra para esperar com Meredith, algo que nunca tinha feito antes. Geralmente estava demasiado ocupada. O mais provável era que estivesse a perder uma aula de ténis para estar ali.

— O quê? — perguntou Meredith.

— A sua presença.

— Desculpe?

— Parece tão feliz aqui. Será possível que ande a foder com o meu marido e eu ande a fazer figura de idiota?

Os pássaros pareciam ser atraídos pelo Sapato de Cristal. Naquele momento, por exemplo, um bando de melros desceu das alturas e pousou nas sebes.

— O que aconteceu? A sério, pode contar-me — continuou Cynthia. — Como começou? Conheceram-se na cidade? Começaram em hotéis, a foder a noite toda? Depois, imagino que tenha pensado, ora, mais vale mudar-me para a casa dele, tratar do assunto debaixo das barbas da mulher. Afinal, não passa da segunda mulher. Não tem autoridade nenhuma.

— Acho que é melhor parar com isso. — Meredith estava profundamente embaraçada, por ambas.

— Acha? E espera que eu acredite que estava desesperada por se tornar ama-seca a tempo inteiro de um adolescente delinquente? Que apareceu aqui em casa por acaso?

— Está a imaginar coisas — Meredith tinha vontade de despejar um balde de água sobre a patroa. *Por que raio havia de pensar que eu quero alguma coisa com ele? O que eu quero é nada, é por isso que estou aqui. A bolha. O relvado verde. Os melros. O sossego.* — E é evidente que não confia no seu marido.

Cynthia soltou uma gargalhada.

— Ele está a fazer comigo o que fez com ela. A foder outra mulher enquanto eu durmo na nossa cama.

O autocarro aproximou-se. Meredith fazia sempre questão de estar no caminho à hora certa, à espera. Hoje era segunda-feira, o dia livre de Blanca. Não tinha aulas de dança nem treino de futebol; tudo o que Meredith tinha de fazer era preparar-lhe o lanche e ajudá-la com os trabalhos de casa.

— A Blanca está a chegar.

— E ainda não me contou. — Cynthia não ia desistir. Estava

93

preparada para fazer uma cena, quer Blanca ouvisse ou não. — Anda ou não anda metida com o meu marido?

— Não tenho sexo com ninguém há doze anos — respondeu Meredith. — Não que isso seja da sua conta.

— Que grande treta — disse Cynthia.

— Quer acredite quer não, é verdade. Estou aqui porque neste momento não tenho mais sítio nenhum para onde ir. Não tenho carreira. Pensei que podia aproveitar este tempo para pensar na vida.

— Não teve mesmo sexo nenhum? Nada? — Cynthia parecia um pouco menos histérica.

— Nada. Nem mesmo sexo anónimo. Nem sequer sexo virtual. Tive um namorado que morreu no liceu e para mim essas coisas acabaram aí.

— Lamento muito. A sério. Não fazia ideia. Simplesmente não conseguia perceber por que raio uma mulher atraente e culta aceitaria um emprego aqui.

— Gosto dos miúdos.

Era simples, na verdade, apesar de ser uma conclusão à qual Cynthia nunca chegaria sozinha. Sam era como um cão, que conseguia perceber quem tinha medo dos seus latidos e dentadas, e assustava a madrasta. Sempre a assustara.

— Dos dois?

— Eu percebo o Sam. Compreendo-o.

— Valha-me Deus! — disse Cynthia. — Não sei se hei-de admirá-la ou ter pena de si.

— Pode ser as duas coisas.

Cynthia sorriu.

— Vou limitar-me a não a atacar. Que tal?

— Vê alguma coisa ali? — Meredith apontou para a sebe. A forma de um pé de mulher, uma perna, folhas verdes, um joelho. Normalmente, eram apenas fragmentos, excepto quando John estava por perto e aí era possível ver a pessoa inteira.

— Vejo que a relva precisa de ser cortada — disse Cynthia. — O jardineiro é terrível.

— Só para deixar as coisas bem esclarecidas, não tenho qualquer interesse no seu marido. Absolutamente nenhum.

— Bom, nem eu, mas continuo a ir para a cama com ele.

Ambas as mulheres se riram. Olharam uma para a outra, inseguras do que seriam, não sendo adversárias.

— Mas eu não, nem tenciono fazê-lo — assegurou Meredith.

Blanca aproximou-se, a assobiar e aos saltinhos pelo caminho. Meredith acenou.

— Olá, Bee — disse.

— Montes e montes de trabalhos de casa de Matemática — respondeu Blanca.

— Ela gosta mais de si do que de mim — disse Cynthia com tristeza enquanto Blanca se aproximava.

— Não sou uma ameaça, Cynthia. Estou aqui apenas para ajudar. Mais nada.

Meredith tinha montado uma mesa de armar no pátio, um sítio onde a Matemática não seria tão desagradável.

— Fizeste sumo de lima! — Era a bebida preferida de Blanca.

Blanca ordenava o universo em termos de uma lista de favoritos. Comida favorita: massa. Membro da família favorito: Sam. Avó favorita, bom, única avó, na realidade: avó Diana. Disciplina favorita na escola: tudo menos Matemática. Romance favorito: o que estivesse a ler nessa semana.

Meredith foi ter com Blanca ao caminho e, juntas, atravessaram o relvado. Meredith estava descalça e a relva picava-lhe os pés.

— Estou tão contente por estares aqui — disse Blanca. — És tão boa a Matemática. És boa em tudo.

— Quem me dera — Meredith riu-se.

— És mesmo — reafirmou Blanca.

Talvez fosse por isso que Meredith estava no Connecticut; apenas para estar perto de alguém que achava que ela valia a pena. Doze anos antes, Meredith tinha dezasseis anos. A idade de Sam. Esses doze anos tinham passado como uma mancha confusa, instantes sem sentido, unidos numa única sombra. Diziam que o tempo curava todas as feridas, mas Meredith não ultrapassara o sucedido. O passado continuava a parecer-lhe presente, cada momento anterior mil vezes mais importante e verdadeiro do que a vida que vivera posteriormente. Não sentia nada há doze anos. Nem sequer tentara.

Vira as marcas de agulha no braço de Sam Moody e os cortes nos seus braços. Aquelas facas japonesas que tinha no quarto, e que jurava serem antiguidades rombas, afinal estavam suficientemente afiadas para causar danos. Meredith já passara por isso. Compreendia exactamente o que Sam estava a fazer. A tentar sentir algo, fosse o que fosse. Ela seria uma tutora muito melhor nessas coisas do que era em Álgebra. Conhecia todos os ângulos. A única certeza que tinha era que, quando uma pessoa sentia dor, sentia-se viva, se era estar viva o que pretendia. Se, bem vistas as coisas, isso valesse a pena.

Sam desapareceu em Outubro. Já o fizera antes, mas apenas por uma noite ou duas, pregando-lhes um valente susto antes de regressar a casa vindo de Bridgeport, ressacado, derrubado pelas drogas, com uma qualquer história da carochinha, na qual nem mesmo ele esperava que o pai e Cynthia acreditassem. Mas desta vez era diferente. Passaram-se quatro noites, depois cinco. Havia um sentimento de aflição no ar, uma onda de choque de arrependimento. John Moody sentava-se todas as noites na sala de estar, mas Sam não apareceu. Chegou ao ponto em que John teria ficado contente por ver aparecer um carro da polícia, com as luzes a piscar. No entanto, John acreditava que um telefonema para a polícia podia facilmente causar mais problemas, portanto contrataram um detective particular. Sam fora visto em Bridgeport, com um grupo de amigos drogados, mas era difícil localizá-lo e os desagradáveis membros do seu pequeno círculo não eram muito prestáveis; mesmo com subornos, davam informações falsas. Sam era esquivo; sabia como se perder.

Na sexta noite do seu desaparecimento, Meredith foi procurá-lo ela própria. Percorreu as ruas pejadas de lixo dos bairros sociais onde Sam era bastante bem conhecido. As pessoas diziam, *Sim, o Sam, aquele tipo maluco*, mas nada mais. Meredith reparou que havia muito poucas mulheres nas entradas e degraus dos prédios; apenas homens jovens. Homens com problemas, homens gastos, homens que não tinham mais nada a perder. Meredith passou de carro pelo terminal de autocarros, à procura de adolescentes, e estacionou em frente de uma loja de bebidas de aspecto duvidoso. Mostrou uma fotografia de Sam a toda a gente que entrava na loja, mas ninguém pôde ajudá-la.

— Desista — disse uma senhora simpática. — Ele voltará para casa quando achar que deve voltar.

Quando Meredith chegou a casa, John Moody estava na sala de estar, ainda à espera.

— Acho que é um caso perdido — disse.

— Não desista. Talvez ele esteja em casa de um amigo.

— Não me refiro ao Sam. Refiro-me a mim, como pai.

Meredith sentou-se no sofá. Trazia o seu casaco azul-escuro porque o ar estava a ficar fresco. Não o despiu.

— Devo ter feito alguma coisa errada numa vida anterior — disse John Moody.

Meredith riu-se.

— Isto não é um castigo dirigido a si. Não tem nada a ver consigo. Tem a ver com o Sam.

— Mas estou a ser castigado. Isso tornou-se evidente para mim. É o que eu acho.

Meredith desejou ter entrado pela cozinha e ter evitado John. Sentia-se culpada por nunca lhe ter dito como fora ali parar da primeira vez, que soubera quem John Moody era mesmo antes de chegar àquela casa. Sabia exactamente que tipo de homem ele era: um homem desesperado, o suficiente para pedir ajuda a uma médium.

— Eu cá acho que não acredito em nada — disse Meredith.

— Que bom para si — disse John. — Se não acredita em nada, nada a pode desiludir. Infelizmente, eu acredito que todos pagamos pelos nossos erros. Ardemos no Inferno pelos nossos pecados.

John Moody pediu licença e subiu. Era inconveniente falar com a ama dos miúdos sobre estas coisas. Coisas pessoais, coisas íntimas. De qualquer maneira, era evidente que Sam não ia voltar para casa; já nem sequer era noite. O céu estava a ficar claro e, no Sapato de Cristal, a luz penetrou vinda de cima.

Meredith quase dissera a verdade a John Moody: *Eu também a vejo. Segui-a até aqui. Acho que, se acredito em alguma coisa, é em fantasmas.* Em vez disso, não disse nada; como sempre, limitou-se a fazer o seu trabalho. Quando encontrava cinzas, apanhava-as com a pá e a vassoura. Os pássaros que apareciam dentro de casa eram apanhados e libertados. Os pratos partidos eram despejados no lixo.

As sombras eram ignoradas. Mas Sam — como podiam ignorar a ausência dele?

— Tenho a certeza de que ele voltará esta noite. — Blanca jurou o mesmo durante seis, depois sete, depois oito noites seguidas.

Tinham de continuar com as suas vidas, não tinham? O mundo não parava porque uma pessoa desaparecera, quer o quisessem quer não. A vida real prosseguia mais ou menos inalterada. Os jornais eram entregues, os jantares servidos, as tarefas feitas. Uma tarde, Meredith levou Blanca à biblioteca para irem buscar livros para um trabalho sobre as religiões do mundo. Enquanto lá estavam, Meredith reparou num cartaz que anunciava uma palestra no final do mês: «A Física dos Fantasmas». Um professor de Yale e um estudante de mestrado iam debater a «realidade» da outra dimensão.

Blanca aproximou-se por trás de Meredith.

— O meu pai diz que essas coisas são tretas.

— Diz?

Meredith levou metade dos livros e Blanca outra metade. Blanca parecia ter uma preferência pelo budismo. Era crente, embora não soubesse bem em quê. O seu vício pelos livros estava a intensificar-se. Estava sempre a entrar na livraria, passava demasiado tempo na biblioteca. Debaixo da cama tinha um tesouro de livros escondidos que Cynthia nunca teria aprovado, todo o tipo de coisas que uma rapariga da idade dela não devia ler, de Salinger a Erica Jong.

— O meu pai diz que os fenómenos psíquicos são disparates — corrigiu Blanca —, eu é que acrescentei o *tretas*.

— Belo vocabulário, Bee.

— Muito obrigada.

No caminho para casa, ao fazerem uma curva, tagarelando sobre qual era a secção que preferiam na biblioteca — ficção para Blanca, história e biografias para Meredith — enquanto ouviam no rádio uma estação de música *country*, viram Sam. Por breves instantes, tinham-se esquecido de que ele desaparecera. As bibliotecas e os braços cheios de livros podiam fazer isso a uma pessoa. E, mesmo quando o viram, o próprio Sam parecia um fantasma, pálido, tremeluzente, uma imagem que podia ter sido invocada por elas. Mas não, era mesmo Sam. Estava em frente ao supermercado, a desenhar no passeio. Juntara-se uma pequena multidão à sua volta.

Havia cores por todo o lado. Parecia sangue e penas azuis e ossos brancos. Mas era apenas giz e cimento.

— Porque estão aquelas pessoas todas à volta dele? — perguntou Blanca.

Meredith parou o carro e abriu a porta.

— Fica aqui.

Meredith aproximou-se da multidão. As pessoas estavam a rir, como se estivessem a ver um número de circo. Talvez fosse divertido para quem não o conhecia: um miúdo pedrado, com roupas imundas, a desenhar como um louco, imerso em cores.

Sam cobrira quase um quarteirão com os seus desenhos a giz. Também o fizera no quarto, ilustrando cada parede com tinta que brilhava no escuro; agora parecia decidido a cobrir o resto do mundo ou, pelo menos, esta parte dele. Impregnando tudo com uma visão muito própria. Não era um mundo em que alguém escolhesse entrar voluntariamente. Eram pesadelos, cadáveres, pássaros mortos, esqueletos de homens com machados nas mãos, figuras aladas, sem rosto, a voar sobre edifícios em chamas. Os braços e o rosto de Sam estavam cobertos de turquesa, vermelho e preto.

Meredith abriu caminho até à frente da multidão. Sam estava tão ocupado que nem reparou nela. Agachou-se ao seu lado. Ele ergueu os olhos e não pareceu minimamente surpreendido por a ver.

— Olá — disse, sem parar de trabalhar. Os olhos de Sam eram apenas pupila; ele estava a ver o que os outros não conseguiam, não queriam ver. Andava a tomar drogas psicadélicas há vários dias. Nunca se recordaria de como regressara à cidade. Talvez tivesse voado. Talvez fosse isso. Estava num túnel em Bridgeport e simplesmente desejara regressar à sua cidade.

— Há quanto tempo estás a fazer isto? — perguntou Meredith.

Um quarteirão inteiro. As suas mãos, viu ela agora, estavam a sangrar. A meio caminho entre a lavandaria e o supermercado havia um desenho a giz de uma mulher num vestido branco. O seu cabelo era ruivo.

— Comecei por volta da meia-noite. Ia a caminho de casa e de repente ocorreu-me. Tudo de uma vez. Nem sequer tive de pensar.

Estava nisto há quinze horas, ao longo de toda a noite e de toda a manhã, e pela tarde fora.

O gerente do supermercado saiu e tentou dispersar a multidão.

— A polícia vem aí — gritou ele a Sam. — Não estou a brincar. Isto é propriedade privada.

— Na verdade, o passeio pertence a toda a gente, idiota. — Sam não parou de desenhar nem por um instante.

— E se fossemos para casa? — sugeriu Meredith.

Olhou para o *Volkswagen* estacionado. Ali estava Blanca, a abrir a porta para poder ver. A mulher de cabelo ruivo pareceu elevar-se do betão. Era translúcida: Meredith conseguia olhar através dela para uma carrinha estacionada.

— Anda. — Meredith estendeu a mão para Sam.

— Foda-se, Merrie! Estou ocupado! — Sam puxou o braço. Tinha os olhos brilhantes. — Não vês que estou a fazer uma coisa? Para variar? Olha bem para mim!

Ninguém lhe chamava Merrie há anos. Sentiu-se como se tudo o que alguma vez fizera tivesse sido um erro; nunca conseguira salvar ninguém e parecia que não estava a consegui-lo agora. De repente, percebeu que era por isso que aqui estava. A verdadeira resposta para a pergunta de Cynthia. Como podia uma mulher culta e atraente como ela aceitar esta tarefa ingrata? Porque não podia deixar que Sam se afundasse.

Ouviu uma sirene algures. As pessoas reunidas à volta deles começaram a rir. Alguém disse algo sobre a obra do Diabo. Aquelas figuras de pesadelo. Os esqueletos com os machados. A mulher com sangue em vez de cabelo.

— O meu plano é o seguinte — disse Meredith —, deixamos isto aqui para as pessoas poderem apreciar e vamos jantar e conversar. A Blanca está à nossa espera no carro. Ela teve saudades tuas, Sam.

— Escusas de falar no plural, não estamos juntos. — Sam continuou a trabalhar. Tinha os nós dos dedos a sangrar, mas o sangue não tinha significado para ele. — *Vamos deixar isto aqui e voltar para a prisão* — disse, em tom trocista, imitando Meredith. A sua fúria regressou instantaneamente. — Isto sou *eu*! Apenas eu!

— Quero que me contes tudo. Quero falar sobre isso. — As malditas sirenes estavam quase em cima deles. — Vá lá, Sam. — A única coisa que Meredith dispensava era ter de lidar com a polícia. Estaria a encorajá-lo? Então, que estivesse. Acreditava honestamente que não nada de bom resultaria de um teste de despiste de drogas ou de uma pena de prisão. Não para Sam. Ele afogar-se-ia nas boas intenções das autoridades. — Temos de ir, agora.

— Podes pensar que sou maluco, mas através dos olhos de uma pessoa consigo ver o que ela está a pensar — Sam passou as mãos sobre o passeio. A massa de cor, o carmim, os fantasmas. — Consigo pôr o interior do lado de fora. Isto sou eu, no passeio. Nunca ninguém me vê.

Blanca saíra do carro estacionado e estava perto. Ouvira o irmão; o seu rosto estava tão solene que já nem parecia uma criança.

— Volta para o carro e espera por nós, Bee — disse-lhe Meredith. — Telefona para o trabalho do teu pai.

Blanca não lhe deu ouvidos. Era uma boa menina que nunca desobedecia, mas desobedeceu agora. Aproximou-se de Sam e ajoelhou-se ao lado dele. Uma película de pó de giz azul cobriu-lhe as mangas do casaco.

— Eu sei que és tu.

Sam parou de pintar. Estava ofegante.

— Eu vejo-te — disse Blanca.

Sam começou a chorar. Não se lembrava da última vez que chorara. Doía, como pequenos punhais dentro dos olhos. Estava exausto; estava ali no passeio desde o meio da noite, a pensar e a pensar, a fazer o seu mundo aparecer, e agora tinha as mãos em carne viva.

— Anda comigo para casa — disse Blanca.

— Acho que não consigo — disse Sam.

— Estamos a implorar-te — disse Meredith.

— Nunca implores nada a ninguém, Merrie. És melhor do que isso. Tens carácter de mais para isso.

Dois carros da polícia e uma ambulância tinham parado no parque de estacionamento do supermercado. O gerente estava a agitar os braços, a fazer sinal às autoridades. Sam lembrava-se da sensação que estava a ter agora. Sentira-a antes, muito tempo antes. As facas contra as pernas, os alfinetes nos dedos, os ossos do seu esquilo, a forma como o seu coração se partira. Estava tudo em pedaços. Pusera as pérolas que a mãe lhe dera na caixa de cartão e nunca mais olhara para elas.

Dois polícias aproximaram-se e tentaram falar com Sam.

— Não falem comigo, merda. Estou ocupado. Será que ninguém consegue ver isso? Porque não abrem os olhos? Não é preciso mais nada.

Quando os polícias estenderam as mãos para o agarrar, Sam desviou-se. Quando o agarraram, bateu em tudo o que conseguiu. Eles deitaram-no então no passeio. Pó de giz voou por todo o lado. Blanca tapou os ouvidos. Os gritos de Sam eram terríveis de se ouvir, como se fosse morrer se não acabasse os seus desenhos. O seu mundo ficaria incompleto e ele desvanecer-se-ia no nada. Cinzas. Fuligem. Pratos partidos. Ossos de pássaro ocos. Luzes fantasma.

Meredith abraçou Blanca enquanto a polícia arrastava Sam pelo parque de estacionamento. Blanca estava a chamar pelo irmão, mas ninguém a ouvia. A multidão ainda lá estava e algumas pessoas aplaudiram. Alguém terá indicado Meredith e Blanca à polícia, porque um dos agentes do segundo carro aproximou-se delas e pediu o nome completo de Sam, a sua morada e número de telefone.

— Não lhes digas nada! — exclamou Blanca. Tentou escapar-se e correr para a ambulância, mas Meredith segurou-a.

— Podemos ir com ele? — perguntou Meredith ao agente. — Ela é irmã dele.

— Deixem-me apenas recolher as informações de que precisamos — disse o polícia. — Acalmem-se.

E foi o que fizeram. Não tinham alternativa. Blanca chorou baixinho e escondeu a cara no casaco de Meredith. A ambulância arrancou enquanto Meredith recitava a morada. *Casa de Vidro. Última Casa. Casa Perdida.* Poderiam vê-lo dentro de pouco tempo no hospital, garantiu o polícia a Meredith, onde ele seria internado para observação e despistagem de drogas. Havia procedimentos oficiais a seguir. Não havia sempre? Tinham de dar algum tempo. O gerente do supermercado já estava a lavar o passeio à mangueirada.

— Olha o que estão a fazer! — gritou Blanca. — Ele está a desaparecer.

Era espantosa a quantidade de cores que havia, todas a correrem para a sarjeta numa corrente: uma dezena de tons de azul, vinte vermelhos diferentes e toda aquela fuligem preta, como um pesadelo que tivesse ganhado forma, o interior de um coração, tão facilmente destruído, eliminado antes que alguém pudesse controlar os danos ou salvar o que estava perdido ou mesmo tentar salvá-lo a ele.

O tribunal ordenou que Sam passasse por três semanas de desintoxicação no hospital, antes que as acusações de consumo de drogas fossem retiradas. Felizmente, ele tinha apenas uma pequena quantidade de haxixe no bolso, embrulhado numa prata. Durante esse tempo, Sam recusou todas as visitas, pedindo que apenas a irmã o fosse ver. John Moody proibiu-a. Não havia razão para sujeitar uma criança de dez anos à visão de uma desintoxicação de drogas. O pai das crianças podia impor as regras que quisesse, mas Blanca conseguia, apesar disso, ir todos os dias ao hospital. Foi Meredith que descobriu; ia buscar Blanca à escola de dança e reparou que, enquanto todas as outras raparigas saíam pela porta da frente, Blanca se aproximava ao longo da rua. No dia seguinte, depois de deixar Blanca na biblioteca, Meredith estacionou o carro atrás de uma sebe e esperou. Blanca saiu da biblioteca quinze minutos depois e Meredith seguiu-a de carro, a alguma distância, enquanto esta caminhava até ao hospital. Quando ela saiu, algum tempo depois, Meredith buzinou. Blanca entrou no *Volkswagen*, sem desculpas, nada. Olhou em frente.

— Conseguiste vê-lo? — perguntou Meredith.

— Escrevo bilhetes e ele responde. Uma das enfermeiras leva os meus para dentro e traz-me os dele.

— O que é que ele escreve?

— Eu escrevo. Ele faz desenhos.

Meredith reflectiu sobre o assunto.

— Posso deixar-te aqui, e assim não precisamos de fingir que estás nas aulas ou na biblioteca.

— A sério? — Blanca era tão boa menina que todas as mentiras que andava a dizer estavam a afectá-la. O seu cabelo parecia baço e oleoso e tinha o rosto macilento.

— A sério.

No dia em que Sam voltou para casa, fizeram um bolo de chocolate para celebrar. Com certeza que ele ainda gostava de chocolate; não podia ter mudado assim tanto. Cynthia foi buscar gelado e, quando Blanca e Meredith pareceram surpreendidas, disse: — Não desejo nada de mal ao Sam, sabem? Só coisas boas.

Durante esse tempo, sempre que a avó das crianças telefonava e Cynthia atendia, Diana Moody desligava. Diana queria falar com Meredith.

— A Cynthia sabe que é você que lhe desliga o telefone na cara — disse Meredith a Diana. Diana sofrera recentemente um enfarte e estava atormentada por não poder ajudar. Pensava em Meredith como o seu alter ego, a única pessoa que lhe diria a verdade.

— Eu não gostava do Sam quando ele era pequeno — admitiu Diana um dia, ao telefone. — Achava que ele era mal-educado, mas na realidade era apenas honesto. Não guardava nada para si.

— Continua a ser assim — disse Meredith.

— É por isso que ele sofre — disse Diana Moody. — Não há barreira que detenha a dor.

John Moody era quem o ia buscar. Sam esperou com ar furioso enquanto o pai assinava os papéis e lhe devolviam a carteira e o pacote de giz.

— Obrigado e vão todos à merda — disse Sam às enfermeiras.

— Chega — disse-lhe John Moody.

— Aposto que achas que isto foi para o meu próprio bem — disse Sam.

— Não quero jogar jogos contigo. — John sentia-se tão velho que nem acreditava que alguma vez fora um jovem que saíra para se divertir, que andava à procura de uma festa julgando que tinha a vida toda pela frente.

— Na verdade, não me lembro de alguma vez teres jogado um jogo comigo. Não admira que eu não saiba jogar basebol. Ou basquetebol. Ou ténis. Ou à porra do berlinde, na verdade. Obrigado, pai.

— Queres culpar-me por não teres capacidade atlética?

Ainda nem sequer tinham saído da enfermaria e já estavam nisto.

— De que adianta? Não me compreendes, tal como nunca compreendeste a minha mãe — disse Sam.

— Não te atrevas a falar nela — disse John.

— Vai à merda. Ela é minha mãe. Não te era nada a ti. Falo nela tanto quanto me apetece. Se só quiser dizer uma palavra para o

104

resto da minha vida e for o nome dela, é o que farei. Portanto, não me pressiones.

Não voltaram a falar durante a viagem até casa. Quando chegaram, saíram do carro, bateram com as portas e tentaram ao máximo evitar-se mutuamente até à porta. Sam não se deu ao trabalho de ir à cozinha, apesar de elas o chamarem, e Blanca correu atrás dele.

— Obrigado, mas não, obrigado, Ervilha — disse à irmã quando ela lhe falou do bolo. — Come-o tu.

As coisas pioraram muito dois dias depois de ele ter regressado a casa. Quarenta e oito horas e ele estava de novo no telhado, o mais alto que podia estar. Tinha ido apenas à loja da esquina e dado um longo passeio a pé, e, mesmo assim, conseguira arranjar droga. Era de manhã cedo e John Moody ia a sair para o trabalho quando se apercebeu do que estava a acontecer. Estava a caminho do carro e sentiu um arrepio. Parou e ergueu a mão para proteger os olhos. Sentia-se como se estivesse a ver um filme: o filho de um homem sobe para o telhado de vidro e ali fica, à espera da próxima rajada de vento. Será que o homem vai correr para o salvar? Será que fica ali, tão incapacitado que não consegue mexer-se? Ou será que sobe para junto do rapaz e salta ele próprio?

Ir ao salão de chá na 23rd Street não servira de nada. Fora apenas uma última e desesperada tentativa de se libertar de Arlie. Não era apenas fuligem, vozes, pratos e cinzas. Ele via-a mesmo. De manhã, ao caminhar pelo corredor; ao crepúsculo, junto das sebes de buxo. Outros homens talvez se tivessem convencido a si próprios de que estavam apenas a ver sombras, um mero jogo de luz, mas John sabia que não era assim. Era ela. Era jovem, como quando a conhecera, quando se perdera de tal maneira que não conseguira encontrar o caminho. Na verdade, estava a vê-la agora, lá em cima no telhado, no reflexo de uma nuvem, no movimento do vento. O vestido branco, o longo cabelo ruivo. Via-a pelo canto do olho, apenas a sua silhueta, e de cada vez que a via sabia: não se portara bem com ela.

E agora, outra vez. Qual era a coisa certa a fazer nesta situação? Chamar a polícia para salvar o filho? Ou isso só iria piorar as coisas? Desejou poder pedir o conselho de Arlyn. No seu poleiro, no telhado, Sam parecia estar quase a adormecer; tinha os olhos fechados. As drogas devem dar-lhe paz, pensou John. Por um instante, aquele pobre rapaz podia parar de pensar, deixar de ser ele próprio. Podia flutuar ali, acima deles todos.

Meredith correu para a rua, de camisa de dormir. Vira Sam através do tecto de vidro do corredor do piso de cima. Não se lembrava de alguma vez ter corrido tão depressa, pelas escadas abaixo, para a relva.

— Vá ter com ele — disse a John Moody, que parecia estar paralisado, como sempre. — Suba ao telhado e convença-o a descer.

John desejou ter uma rede, ou outra vida, ou um par de olhos diferente. Mais do que tudo, desejou poder encontrar uma forma de voltar atrás no tempo. *Um, estava perdido desde o dia em que se enganara num cruzamento. Dois, casara com a mulher errada, apesar de não saber para qual dos dois isso fora um erro maior. Três, era um homem sensato que nunca esperara ter de lidar com estas coisas.* John Moody estava esmagado. Gostava de poder deitar-se debaixo dos buxos e inspirar o seu aroma penetrante e nunca mais ter de pensar, nem falar, nem fazer nada.

— Vai ficar aí à espera que ele caia?

Não era John que estava a cair? Quando sonhava, estava numa árvore ou no cimo de um dos seus próprios edifícios; sonhava que estava a cair para o chão e, contudo, as estrelas precipitavam-se na sua direcção. À noite, quando abria os olhos, sabia que Arlie estava perto. Por trás das cortinas, no parapeito da janela, ao seu lado na cama, com a cabeça na almofada. O que antes lhe parecera uma maldição tornara-se agora um conforto. Ele quisera ver-se livre dela, e contudo agora dava por si a procurá-la. *Arlie?* murmurava à noite, sentado na cozinha, enquanto Cynthia dormia. *Estás aí?*

— Valha-me Deus! — exclamou Meredith, revoltada. — Por que raio nunca consegue fazer nada para o ajudar? — Meredith correu para dentro de casa e subiu as escadas até à porta do sótão. Subiu tão depressa que ficou tonta. Doía-lhe a cabeça. Empurrou o alçapão devagar para não derrubar acidentalmente Sam do telhado.

— Truz-truz — disse. Viu os ténis dele a alguma distância, por isso abriu o resto do alçapão.

— Não é uma tentativa de suicídio — disse Sam. — Nem comeces com essas tretas, Merrie. Não sou nenhum idiota.

Meredith saiu para o telhado de vidro. A camisa de dormir dificultava-lhe a tarefa. Esperava não cair. Meu Deus, seria um obituário terrível, se caísse. *Ama solteira e com excesso de qualificações escorrega para a morte e parte todos os ossos do corpo. Mulher perdida encontrada aos pedaços. Nunca conseguiu salvar ninguém, muito menos a ela própria.*

— Há razões para viver, sabes.

— Céus, a seguir vais comprar-me uma merda de um cachorrinho. Vais dizer-me que vai correr tudo bem se batermos palmas e acreditarmos.

Sam parecia abalado. Vestia calças de ganga e um casaco e estava a suar. Parecia mais instável do que nunca, desde que voltara para casa; movia-se como um sonâmbulo, com passos inseguros. Deixara de ingerir toda a porcaria a que conseguia deitar a mão. As drogas psicadélicas levavam-no para um sítio onde não queria estar. Tinha os seus próprios pesadelos; não precisava de ajuda para expandir a mente. Queria era fechar a mente, dar-lhe um pouco de descanso. Daqui para a frente, era só heroína. O sono sem sonhos. Tudo aquilo de que precisava, tudo o que queria, o que tinha de ter. Guardava o material na gaveta da mesa-de-cabeceira; a seringa e o elástico e a colher, muito bem enrolados num pedaço de camurça gasta. Era o que lhe dava uma razão para viver, na verdade. Acordar, viver, mover-se — tudo girava à volta do momento da próxima dose.

— Na verdade, não é má ideia. Acho que devias arranjar um animal de estimação.

— Nem penses nisso.

— Amor incondicional — sugeriu Meredith.

— Não existe. E por que raio estamos a ter esta conversa? Eu só queria ar puro. Não o ar que aquele filho da mãe inspira e expira.

Olharam para John Moody.

— Ele tem boas intenções — disse Meredith.

Sam cuspiu uma risada. Era um dia vulgar para a maior parte das pessoas da cidade, e aqui estava ele, a tentar decidir se devia ou não tentar voar.

— Eu pertenço a uma raça de pessoas completamente diferente — disse Sam.

Olhou para Meredith, avaliando a sua reacção.

— Eu também.

Sam revirou os olhos.

— Não pertences nada.

— Viver é melhor do que a alternativa, Sam. Juro pela minha vida.

— Honestamente, quanto é que isso vale? Um salário de ama e um *Volkswagen* usado?

— Uma pessoa com uma doença terminal ficaria fora de si se te ouvisse. Trocaria contigo num segundo, apenas por mais um dia, mais uma semana, mais um ano. Estás a desperdiçar aquilo que tens.

— Talvez eu consiga — disse Sam, mais para si próprio do que para Meredith. — É uma possibilidade. Nunca saberei se não tentar.

— Talvez *eu* consiga.

— Queres parar com isso? Não repitas tudo o que eu digo. Não penses que és como eu. Porque não vais chamar a polícia e me deixas em paz?

— Por acaso, eu gosto de ti. Não pensei que pudesse amar-te, ou que isso fosse acontecer, mas é verdade.

— Bom, se é verdade, passa-se algo muito errado contigo — disse Sam.

Ambos se riram e o riso chegou até John. Quando os ouviu, John Moody ficou sem saber se devia sentir-se aliviado ou zangado. A rirem-se no telhado, enquanto ele estava a suar ali em baixo, atrasado para uma reunião, preso numa grande trapalhada de vida que podia ter evitado se nunca tivesse parado para pedir direcções. Nunca o fazia, agora. Nem sequer pensava em abrandar. Era capaz de andar horas às voltas com o carro, apenas para não parar numa estação de serviço e pedir ajuda. Não era o orgulho que o impedia, mas sim o medo. Vejam só onde uma curva errada o tinha deixado. Não podia, pura e simplesmente, correr outra vez esse risco.

Muitas vezes, a vida que podia ter tido vinha-lhe à cabeça, a vida que devia ter tido antes de se enganar naquela curva. Havia duas crianças bem-comportadas que esperavam por ele à porta, quando chegava do trabalho, e um pastor alemão perfeitamente treinado que ia correr com ele ao fim da tarde. Ou estava em Paris, e vivia sozinho num grande apartamento. Ou na Florida, algures num campo de golfe, um sítio sossegado, onde não se ouvia sequer o som dos pássaros. Mas, em todos esses locais, havia sempre uma mulher de vestido branco. Era tão jovem, pouco mais do que uma menina. Devia tê-lo enfeitiçado; fora assim que tudo começara. Ele não era o tipo de pessoa que entrava na casa de uma desconhecida, adormecia no sofá, encontrava-a nua na cozinha e estava disposto a fazer tudo para a ter. Só tinha estado com três raparigas antes de Arlie, uma no liceu, duas na universidade; tinham sido encontros furtivos, menos excitantes sexualmente e mais causadores de ansiedade, com a rapariga a dizer não enquanto John implorava até que ela finalmente cedia e faziam o que tinham a fazer.

O que nunca esquecera fora a forma como Arlie se entregara. Um instante no tempo, perfeito. Os passos dele na cozinha. Arlie a virar-se do lava-loiça. Perdido e depois encontrado. Descoberto, de alguma forma profunda. Estava preso nesse momento, apercebia-se agora; aquela jovem de cabelo ruivo atravessava a sua realidade para toda a eternidade. Agora, por exemplo, estava tão absorto nos seus pensamentos que, quando ergueu os olhos, ficou surpreendido ao ver que Meredith e Sam já não estavam no telhado. Era como se tivessem levantado voo quando ele não estava a olhar.

— O meu pai nunca gostou de mim — disse Sam.

Tinham descido para a cozinha, onde Meredith estava a fazer chá, na esperança de conseguir convencer Sam a comer qualquer coisa. Fez torradas, mas Sam recusou com um aceno. Estava a olhar para a janela. John Moody estava de olhos postos na relva.

— Talvez eu tenha saltado e ele não saiba — disse Sam. — Talvez tropece no meu corpo.

— Come a torrada — disse Meredith.

— Sem manteiga de amendoim?

Merrie foi buscar a manteiga de amendoim ao armário.

— Não se consegue ver o amor — disse ela.

— Tretas. — Sam abriu o frasco de manteiga de amendoim. Passara por uma fase, quando era mais novo, em que só comia manteiga de amendoim e doce. — Claro que se consegue.

— A sério? — disse Meredith. — Mostra-me.

Sam sorriu e partiu a torrada ao meio, oferecendo-lhe metade. Meredith sentou-se ao lado dele, comeu a torrada e bebeu chá. Decidiram deixar a loiça para Cynthia lavar.

109

— Obrigada — disse Meredith, apesar de detestar manteiga de amendoim. — Tinhas razão.

Sam sorriu.

— Finalmente tenho razão em relação a alguma coisa.

Blanca e Meredith estavam a descer a Main Street em direcção à livraria quando passaram pela loja de animais. Snow's Pets. Meredith nunca tinha reparado na loja antes. Por trás do vidro havia cachorrinhos *basset hound*.

— São tão engraçados. — Blanca bateu no vidro com os nós dos dedos e um dos cachorrinhos aproximou-se e lambeu o vidro. — Oooh — derreteu-se Blanca. — Este. O Sam ia adorá-lo.

— O Sam não quer um cão — informou-a Meredith.

— Olha para as orelhas dele! São tão compridas que tropeça nelas.

Decidiram entrar, só para dar uma vista de olhos. A sineta por cima da porta tocou e o homem que estava a limpar os aquários endireitou-se. George Snow. Abrira a loja há três anos, sabendo que, mais cedo ou mais tarde, isto aconteceria. Prometera a Arlie que nunca procuraria a menina, embora tivesse ido a vários espectáculos de dança, onde se sentara na fila de trás; e assistira a muitos dos jogos de futebol dela. Por vezes, interrogava-se se teria sido um erro fazer tal promessa, mas Arlie segurara-lhe na mão até ele jurar.

— Chamem se precisarem de ajuda.

— Acho que não vamos precisar, obrigada — respondeu Meredith.

— Precisamos de ajuda! — chamou Blanca ao mesmo tempo.

George Snow riu-se e aproximou-se para olhar para os cachorrinhos com elas. Nem queria acreditar em como Blanca estava alta; tinha a postura de uma bailarina e não era tímida.

— Vou ficar com aquele pequenino ali ao canto — disse-lhes George. — O mais pequeno da ninhada. Tinha um *collie*, mas morreu de velho. Portanto, estou pronto para um cachorrinho.

— Adoro o seu cãozinho — disse Blanca, muito séria. — Mas gosto mais deste. — Era o pateta que tinha lambido o vidro da montra.

— De qual é que não gostas? — quis Meredith saber.

— Faço-te um desconto — disse George Snow. — Na verdade, podes ficar com ele. Nunca vou conseguir vender esses cachorros todos.

Meredith reparou na semelhança entre Blanca e o dono da loja de animais. Loiros de olhos castanhos, com rostos estreitos e pestanas compridas.

— É da família dos Moody? — perguntou. — Não podemos levar um cachorro destes sem pagar.

— Estou apenas a tentar arranjar-lhe o melhor lar possível. — George pegou no cachorrinho e colocou-o nos braços de Blanca.

— Chama-se *Dusty* — disse Blanca, e depois, embaraçada por ter reclamado o cachorro como se fosse seu, acrescentou: — Mas o Sam é que devia escolher o nome.

— Não, *Dusty* é um belo nome — disse George Snow. — Acho que vou chamar *Rusty* ao meu. — Mr. Snow preparou um pacote com comida de cão, tigelas, uma coleira e uma trela. — Se quiseres que ele aprenda a ser obediente, trá-lo, que eu ajudo-te a treiná-lo.

— A tua mãe vai ter um ataque de nervos — disse Meredith a Blanca.

— Madrasta — corrigiu George Snow. — Conheci a família no passado — acrescentou, quando Meredith olhou para ele.

— Nem acredito que te deixei fazer uma coisa destas — disse Meredith no caminho para casa.

— Não me deixaste. Já tenho idade suficiente para tomar algumas decisões.

— Pois sim. Não me ponhas as culpas se eles não te deixarem ficar com ele.

— Só podes estar a brincar — disse Cynthia, quando entraram pela porta das traseiras.

— É para o Sam — disse Blanca, beijando o cachorrinho no focinho.

— Amor incondicional — acrescentou Meredith.

— É o tipo de amor que faz desaparecer os cocós do quintal? — perguntou Cynthia. — Porque eu não quero ter nada a ver com esta criatura. Podem estar certas disso.

Blanca e Meredith levaram *Dusty* até ao quarto de Sam. Bateram à porta. Blanca escondeu-se atrás de Meredith, com o cachorrinho nos braços. Sam entreabriu a porta. O cheiro proveniente de

111

dentro do quarto era horrível, o fedor de roupa suja, cigarros e comida podre.

— O que quer que estejam a vender, não quero comprar — disse Sam com a voz entaramelada. Tinha consumido há pouco tempo e estava com a boca cheia de saliva seca. Estava a piorar. Todos o sabiam. A única coisa que ele queria era aquele sono sem sonhos.

— *Tcharam!* — disse Blanca, saltando para a frente do irmão com *Dusty* nas mãos.

— Arranjaste mesmo um cachorro? Eu fui bem claro... nada de cachorros, merda. Não posso ser responsável por essa coisa. Tu conheces-me. Ia deixá-lo em algum lado e acabaria por morrer de fome ou coisa parecida.

— Chama-se *Dusty* — disse Blanca. — Pensei que ias gostar dele.

— Gosta tu dele — disse-lhe Sam. — Eu não tenho inclinação genética para isso.

Meredith e Blanca voltaram a descer para a cozinha com o cachorro.

— Podemos arranjar-lhe outra coisa — disse Blanca. — Havemos de encontrar o animalzinho certo.

O cachorro correu para Cynthia, que estava ao fogão a fazer o jantar. Pisou as próprias orelhas e tropeçou.

— Oh, pobrezinho. — Cynthia baixou-se e pegou em *Dusty*; deu-lhe um bocadinho de carne picada com as pontas dos dedos.

— O Sam não o quer. — Blanca estava a reunir a comida e as tigelas do cão. — Temos de o devolver à loja.

— Não podem devolvê-lo! — E depois, como que surpreendida com a sua própria reacção, Cynthia acrescentou: — Não é humano! Ele já está habituado a nós!

— Pensei que não o queria — disse Meredith.

— E não quero — respondeu Cynthia com firmeza —, mas não vai voltar para uma miserável loja de animais, onde será maltratado.

— Não era miserável — insistiu Blanca. — O Mr. Snow é simpático. Ele disse que podia treinar o *Dusty* de graça se nós quiséssemos.

— Sim? Mr. Snow disse isso? Bom, eu tive cães terra-nova

quando era miúda — disse Cynthia. — Sou perfeitamente capaz de treinar sozinha um pequeno *basset hound*.

— E o cocó no quintal e nos tapetes? — recordou-lhe Meredith.

— Aqui está a tua água, *Dusty* — disse Cynthia, pousando uma tigela ao canto, e foi o fim da discussão.

— Temos de arranjar outra coisa qualquer para o Sam — disse Blanca a semana toda. — Qualquer coisa que tenha a ver com ele. — Blanca levava esta demanda muito a sério. — Qualquer coisa de que ele goste.

Uma tarde, enquanto Blanca estava na escola e Sam no seu quarto, a dormir, Meredith voltou à loja de animais. Ia apenas dar uma vista de olhos, talvez comprar um brinquedo de roer para o cachorro, que andava a morder as pernas da mesa da cozinha.

— Olá — disse George Snow quando ela entrou na loja. — Como está o *Dusty*?

Já tinha vendido todos os cachorros, excepto aquele que reservara para si; esse estava a dormir numa caixa atrás do expositor de comida para cães.

— O *Dusty* está muito bem, quando não está a fazer cocó ou a roer qualquer coisa — disse Meredith. — Parece que o *Rusty* também está bom.

— A Blanca não veio consigo?

Meredith reparou que Mr. Snow franzia a testa exactamente da mesma maneira que Blanca, quando esta estava preocupada, algo que acontecia vezes de mais para uma menina de dez anos.

— Tem alguma relação com a Blanca? — perguntou Meredith. — Foi por isso que lhe deu o cachorro?

— Era amigo da mãe dela. Amigo da família. Precisa de mais comida para o cão?

— Preciso de um animal de estimação para o irmão da Blanca. Ele não é fã de cachorrinhos.

— O Sam.

— Sim, o Sam.

— Ele não é um rapaz comum — disse George. — A mãe dele costumava contar uma história sobre pessoas no Connecticut que quando era preciso conseguiam voar. Talvez ele seja uma delas.

As asas cresciam-lhes quando precisavam de fugir. Quando o navio estava a ir ao fundo ou a casa em chamas.

— Estamos muito perto desse ponto — disse Meredith.

George levou-a até à sala dos fundos, onde havia uma cozinha improvisada e uma mesa. Num poleiro ao canto estava um pequeno papagaio. O pássaro era verde com matizes azuis, vermelhos e laranja.

— Fora daqui! — disse-lhes o papagaio.

Meredith riu-se. Era igualzinho a Sam.

— Juro que não fui eu que lhe ensinei isso. Foi abandonado. Alguém o deixou numa caixa à minha porta. Suponho que a pessoa não podia continuar a cuidar dele. Chamo-lhe *Connie*, abreviatura de Connecticut.

— A Cynthia matava-me.

— A madrasta. Eu conheci-a. Costumava correr. Vivia na casa do lado.

— Agora mudou para o ténis. Mas acho que vai desistir disso também.

— Ela nem sequer vai reparar no papagaio. Não é preciso passeá-lo nem brincar com ele. — George deu um amendoim ao papagaio. — O *Connie* ainda é um bebé. O papagaio do Winston Churchill viveu cem anos. Este é um animal de estimação que vai morrer de velho e, ao contrário de toda a gente, não vai desiludir o Sam. — George Snow pigarreou; não se sentia à vontade para ter uma conversa séria com uma desconhecida. — Ouvi falar do que aconteceu em frente ao supermercado.

— Ah, isso. — Meredith não ia falar de Sam com este homem. — Não posso comprar um papagaio. E, se conhece a família, sabe que John Moody nunca pagaria por um papagaio e muito menos o aprovaria.

— O *Connie* é de graça.

Meredith estudou os ângulos do rosto de Mr. Snow. Parecia-lhe tão familiar, tão amável.

— Era o tipo de amigo da mãe da Blanca sobre o qual ela pode saber?

— Bom, ela conhece-me. Sou o homem da loja de animais.

Meredith enfiou o papagaio e todos os seus pertences no *Volkswagen*. A mal-humorada criatura resmungou e grasnou o caminho todo até casa. Teve vontade de voltar para trás e devolver o pássaro à loja, mas seguiu em frente. Pensou em como Blanca era descontraída, tão diferente de Sam e de John Moody. Uma menina de bom coração que pensava nos outros e se preocupava demasiado.

— Não pode trazer isso para dentro de casa — disse Cynthia quando Meredith entrou com o poleiro, a gaiola para a noite, os sacos de comida, os ossos de choco e os sinos. — Desta vez estou a falar a sério. Os pássaros são imundos.

— Fora daqui! — disse o papagaio.

— Oh, muito bonito. Porque não um abutre? — Cynthia estava a fazer frango para o jantar e a ave, nua e crua, estava numa travessa de vidro em cima do fogão. O pequeno *basset hound* estava aos pés de Cynthia e aproximou-se para cheirar a gaiola. — Afasta-te dessa coisa, *Dusty*!

— Talvez um animal de estimação consiga arrancar o Sam ao seu próprio mundo e trazê-lo de volta para o nosso.

— Mas ele alguma vez esteve no nosso?

— Vamos tentar. Vamos tentar qualquer coisa antes de o perdermos completamente, merda.

As duas mulheres olharam uma para a outra. *Dusty* estava a abanar, não só a cauda, mas o corpo todo.

Cynthia acenou.

— Tenho a certeza de que o Sam o vai ensinar a chamar-me assassina em menos de nada, mas talvez isso lhe dê algum prazer. — Estava estupefacta com o que acabara de acontecer entre ela e Meredith. — Nem acredito que me falou nesse tom. Como se a culpa fosse minha.

Cynthia estava desgastada, por tudo. Já não era muito parecida com a mulher que George Snow recordava. Desistira completamente do ténis. O máximo que conseguia agora fazer era uma longa caminhada de manhã, com *Dusty*. Às vezes, começava a chorar por razões que nem para ela eram evidentes.

— A culpa não é sua — disse Meredith.

— Muito bem — cedeu Cynthia. — Uma semana. Se essa coisa começar a voar de um lado para o outro e a cagar na minha casa, desaparece. — Continuou a juntar cebolas e cogumelos à travessa com o frango. — Eu tenho coração, sabe.

— Ninguém disse que não tinha — respondeu Meredith.

— Sei que não gosta de mim. Ficou do lado deles. Mas eu não fui assim tão horrível. Não sabia que ela estava a morrer quando me envolvi com o John. Ele só me disse dois meses depois de ela ter recebido o diagnóstico. E depois chorou e eu tive pena dele. Portanto, suponho que mereço lidar com papagaios e drogas. É a minha paga. E, por falar nisso, o Sam desapareceu esta manhã e não faço ideia onde ele está. Mas posso dar um bom palpite, infelizmente.

Quando Blanca chegou a casa, ficou encantada com o papagaio.

— É perfeito! — disse, apesar de o pássaro a ter tentado morder assim que lhe estendeu a mão. — O Sam vai adorá-lo.

Todos sabiam que, se Sam não estava no seu quarto, era porque tinha ido a Nova Iorque. Devia dinheiro a pessoas em Bridgeport e, da última vez que lá fora, voltara a sangrar. Roubava de malas, mealheiros e bolsos dos casacos e ia a Nova Iorque. Desta vez, levara as colheres de prata do faqueiro do primeiro casamento de Cynthia.

Quando Sam chegou, de táxi, Blanca já estava na cama. Passava muito da meia-noite. Meredith estava sentada nas escadas, de camisa de dormir. Sam tinha os olhos meio fechados quando entrou, cambaleante. Estava mergulhado na terra, sem sonhos. Mesmo no meio desse nada profundo e escuro.

— Olá — disse, como se fosse perfeitamente natural ver Meredith sentada nas escadas às duas da manhã. — Como vai isso?

— A Blanca e eu temos uma coisa para ti. Ela tentou esperar por ti a pé.

Sam tresandava a suor e não estava com boa cor. Contornou Meredith e subiu as escadas.

— Não queres dizer-me onde estiveste? — perguntou Meredith, seguindo-o.

— Achas que te diria a verdade? — retorquiu Sam.

Estavam à porta do quarto dele.

— Se não gostares do teu presente, posso devolvê-lo.

— Vou odiar, seja o que for. Ambos sabemos disso.

— Não tenho tanta certeza.

Sam abriu a porta do quarto e ali estava o papagaio, no seu poleiro.

— Raios me partam! — disse Sam.

— O dono da loja de animais disse-me para te dizer que pertence a uma antiga raça do Connecticut que consegue voar.

116

— Ai disse?

— George Snow — disse Meredith.

— Um homem com sentimentos, pobre idiota. Lembro-me dele. Chorou como um perdido. Achas que estava apaixonado pela minha mãe?

— Não sei. — Na verdade, tinha a certeza que sim.

Sam aproximou-se do papagaio e ofereceu-lhe o braço. O papagaio mirou-o, depois moveu-se de lado até ao fim do poleiro e passou para o braço de Sam.

— É pesado — disse Sam, espantado. — Diz qualquer coisa à Meredith — pediu ao papagaio.

— Fora daqui — disse o papagaio.

Sam atirou a cabeça para trás e riu-se.

— Gosto dele — disse. — Gosto mesmo.

Meredith sentiu algo dentro dela a quebrar-se.

— Diz mais alguma coisa? Posso ensiná-lo a dizer o que eu quiser?

— Podes tentar. Não faço ideia de qual será o seu vocabulário. Foi abandonado. O George pôs-lhe o nome de *Connie*.

— A assassina sabe disto?

— A Cynthia tem coração — disse Meredith. — Algures lá no fundo.

— E o velho filho da mãe?

— Sam — avisou Meredith. — A Cynthia convencerá o teu pai a deixá-lo ficar, se tu quiseres ficar com ele.

Sam sentou-se na cama e olhou para o papagaio.

— O que estás a fazer é demasiado perigoso, Sam. Se continuares a consumir tantas drogas vou passar-me para o outro lado. Vou dizer-lhes que te mandem de volta para a desintoxicação.

— Acabou. Juro. — Sam estava a ser sincero, naquele momento. Mas já o dissera com sinceridade muitas vezes antes. Pelo menos o que disse a seguir era verdade: — De qualquer maneira, já não consigo sustentar o vício. Estou teso e é um grande desperdício de dinheiro.

— Só para que fique bem claro: o papagaio é um suborno.

Sam virou-se para ela e sorriu.

— O melhor suborno de todos.

O habitual turbilhão no interior da cabeça de Sam tinha abrandado e ele sentiu algo. Quase como se fosse felicidade, se não aparecesse tão indistinto. Mas era muito parecido. Suficientemente parecido.

Deixou Meredith abraçá-lo.

— Já chega — disse-lhe, empurrando-a, quando ela fez um comentário lamechas sobre o miúdo fantástico que ele era. — Não vamos exagerar.

Meredith desceu para fazer um chá. Parou quando viu John Moody na sala. Primeiro, pensou que Cynthia lhe contara sobre o papagaio e que ele estava à espera de Meredith para a repreender, talvez mesmo para a despedir, mas ele estava concentrado noutra coisa. A mulher de vestido branco estava sentada à frente dele. Meredith tinha de se concentrar e bloquear tudo o resto para a conseguir ver, mas estava ali. Uma neblina indistinta, fina como fuligem.

Meredith sentou-se no último degrau e espreitou por baixo do corrimão. John Moody estava a chorar, em silêncio, com as mãos sobre o rosto franzido. Era aquela hora em que a relva no exterior parecia prata e que o tempo se movia tão devagar que parecia parar. Um segundo durava para sempre e depois, com igual rapidez, desaparecia. A primeira mulher de John Moody estava a esfumar-se na cadeira, como as orlas de uma nuvem. Até o cabelo ruivo se evaporava no nada. Toda a sala estava mergulhada na escuridão, sombra sobre sombra, de tal forma que era preciso uma pessoa semicerrar os olhos para ver alguma coisa. Havia apenas um pedacinho de cor, uma pena azul-escura no chão, da cor do céu quando está partido ao meio e é possível ver o centro do universo.

Se o amor pode prender-nos a um sítio do qual nunca queremos afastar-nos, então não seria sensato supor que, depois da morte, pode também prender os átomos que nos formam a esse mesmo lugar?

O físico mais jovem, Daniel Finch, um estudante licenciado de Yale, colocou esta questão à plateia composta por doze pessoas semi-interessadas, na sala de leitura da biblioteca. O próprio cérebro funciona graças a impulsos eléctricos. Quem pode dizer que esses impulsos deixam de existir na altura da morte? E, se não se dissiparem, não permaneceriam onde estavam na altura da morte, em vez de viajarem com um corpo sem vida, apenas uma casca, agora que não era animado pela nossa força interior, como quer que quiséssemos chamar-lhe — alma, espírito ou, mais racionalmente, a rede de neutrões e protões no centro da vida?

O físico mais velho, Ellery Rosen, soltou um suspiro profundo. Já vira muitos jovens entusiasmados acreditarem nestas coisas; quanto mais velha uma pessoa era, mais inalcançável se tornava a fé.

— Não existem provas concretas de que esses impulsos eléctricos permaneçam intactos no exterior do corpo — disse Rosen.

Os dois homens iam escrever artigos para o mesmo jornal. As suas diferenças de opinião eram tão extremas que se poderia pensar que eram inimigos mas, na realidade, Daniel fora aluno de Ellery Rosen; almoçavam juntos pelo menos duas vezes por semana.

O professor Rosen começou a citar estudos que refutavam a teoria de Daniel. Era material bastante enfadonho, estatísticas e coisas do género, e perderam de imediato uma das doze pessoas da assistência — Myra Broderick, que tinha de ir buscar o filho ao treino de futebol.

— Até para a semana — despediu-se Myra das bibliotecárias. O orador seguinte era um astrólogo que publicara um livro chamado *Estrelas nos Teus Olhos*. Toda a gente aguardava a sua intervenção com entusiasmo.

— Existe prova de Deus? — perguntou Finch. — A maioria dos princípios base da nossa cultura e da nossa educação são teóricos. Por que motivo precisamos de provas de que há uma força a animar o ser humano, apenas porque ainda não conseguimos identificá-la correctamente? E porque partimos do princípio de que essa força não perdura depois da morte?

Perderam outro membro da assistência, Henry Bellingham, cuja mulher o chamou com um sinal agora que já encontrara todos os livros e cassetes de que precisava para essa semana. E ainda bem, porque Henry não gostara de ouvir falar em Deus de uma forma que lhe pareceu ser negativa.

— Bom, diz-me uma coisa — disse Rosen, à medida que a hora se aproximava do fim. Ambos os oradores pareciam muito mais interessados no que o outro tinha para dizer do que os membros da assistência. Havia uma agitação generalizada nas cadeiras. — Alguma vez tiveste directamente a visão de um fantasma... ou de energia para além dos limites do corpo humano?

— Na verdade, não — respondeu Daniel Finch. E depois acrescentou, em tom animado: — Pelo menos, por enquanto!

Ouviram-se leves e educados aplausos no final da palestra. Os físicos arrumaram as suas pastas; iam regressar juntos no velho *Land Cruiser* de Ellery Rosen.

— Eu já tive. — Meredith Weiss aproximara-se do estrado e estava de pé ao lado de Daniel Finch. Sobressaltado, ele virou-se para ela tão depressa que quase tropeçou na beira elevada do estrado. Nem a ouvira aproximar-se.

— Cuidado — murmurou Rosen ao seu ex-aluno. — Alerta de lunática.

— Porque há-de um espírito querer ficar ligado a um sítio? — perguntou Meredith. — Se quisermos chamar-lhe espírito, mas vamos usar essa expressão, por uma questão de conveniência. O sítio mudou. Já não é o mesmo que era quando os impulsos de energia dessa pessoa lá estavam. A minha teoria é esta: não será mais provável que o tempo seja o elemento a que um espírito fica ligado? Isso significaria que um fantasma é uma entidade que não consegue libertar-se daquilo que foi e que já não é.

Daniel Finch estava a olhar para Meredith enquanto ela falava. Tinha olhos muito escuros, foi nisso que reparou primeiro. Era da idade dele, mais ano menos ano, mas parecia mais jovem, por algum motivo. O rabo-de-cavalo, provavelmente era isso. Ou o facto de não usar maquilhagem. Devia ter perto de trinta anos, mas parecia uma das alunas a quem ele dava aulas. Mas muito mais séria. Mais bonita. E não só; era uma mulher com uma teoria. Ele nem queria acreditar na sua sorte.

— Sim, sim, e a seguir vai insistir que os fantasmas querem gelado com molho de chocolate, imagino — disse Ellery Rosen. — Podemos ir? — perguntou a Daniel. — New Haven aguarda-nos.

— Posso dar-lhe boleia para New Haven mais tarde, se quiser discutir o assunto. — Meredith apercebeu-se subitamente de como podia parecer ousada. — Ou não — acrescentou.

— Não te deixes levar pelo aspecto dela — disse Rosen, pensando novamente que estava a sussurrar. — Pode ser uma doida varrida.

— Com certeza que não sou. — Meredith vestia um casaco simples de lã e tinha um confortável cachecol às riscas ao pescoço. Começara a tricotar há pouco tempo e descobrira que lhe acalmava os nervos. — Licenciei-me em História da Arte, em Brown.

— Acho que vou ficar — disse Daniel Finch a Ellery Rosen.

Rosen deu-lhe uma palmada nas costas.

— Idiota — disse, em tom caloroso. Depois virou-se para Meredith. — Ele era o meu aluno preferido. Prometa-me que não é uma maluca.

Ela beijou os dedos em cruz.

— Juro.

— Bom, tendo em conta o tema da tarde, suponho que qualquer afirmação pode ser considerada prova empírica. Aproveitem bem os impulsos eléctricos um do outro.

Quando Ellery saiu, Daniel e Meredith sentaram-se à mesa mais próxima.

— Então este seu interesse é pessoal? — perguntou Daniel.

As pernas de Meredith eram tão compridas que os seus joelhos embateram nos dele; ambos tiveram de fazer um esforço consciente para se chegarem para trás nas cadeiras, de modo a que isso não voltasse a acontecer.

— Acho que vivo numa casa assombrada — disse Meredith, baixinho. Daniel inclinou-se para a frente.

— Há alguma doença mental envolvida?

— Desculpe? — perguntou Meredith, corando.

— Não me referia a si, forçosamente. Há teorias que dizem que pessoas perturbadas e ansiosas podem criar os mesmos efeitos de uma verdadeira assombração. A maioria dos incidentes com espíritos tem lugar, ao que parece, em casas onde há adolescentes zangados ou perturbados.

— Bom, temos lá um desses, mas o adolescente da casa não parece ter nada a ver com o que está a acontecer. Eu sou a ama. Tenho excesso de qualificações.

Daniel passou a explicar a relação entre os mortos e os vivos numa verdadeira assombração. As qualidades mais frequentemente observadas nos vivos que passavam por esse tipo de contacto eram inocência, arrependimento ou sentimento de culpa. Meredith estava a assentir, a ouvir atentamente todas as palavras. Tinha os olhos mais escuros que Daniel alguma vez vira.

— Há algum sítio onde possamos beber um café? — perguntou ele.

— Não. Fecha tudo às nove. É uma cidade pequena — explicou Meredith.

Daniel reparou que as bibliotecárias estavam a olhar para eles.

— A biblioteca também — continuou Meredith em tom de desculpa. — A hora de encerramento é às nove da noite. E hoje é o dia em que fecha mais tarde. Normalmente, é às seis. Acho que querem pôr-nos na rua.

Saíram, acenando às bibliotecárias, e empurraram as portas de vidro. Havia apenas três carros no parque de estacionamento, um deles era o *Volkswagen* de Meredith.

— Eu testemunhei manifestações físicas. Vozes, pratos e fuligem — confidenciou Meredith.

— Os sinais de um espectro — assentiu Daniel Finch. — Há quem diga que os espíritos são frequentemente acompanhados por pássaros. Estive a ler sobre isso há pouco tempo. Andorinhas na chaminé. Um estorninho subitamente preso numa sala. Os pássaros parecem ser afectados pelos picos de impulsos eléctricos.

— Há tantos pássaros no relvado de manhã que, em certos dias, nem se consegue ver a relva.

— Como é que chegou à sua teoria tempo/espectro?

— Teoria tempo/espectro. Agrada-me. Bom, é porque de cada vez que a vejo ela está num sítio diferente. Sinto que ela ficou presa no tempo. Segue os vários membros da família.

— E a si também?

— Oh, não. Mas eu consigo vê-la. Na maior parte do tempo, parece seguir o marido.

— Amor — disse Daniel.

— Ou o oposto do amor. — Tinham atravessado o parque de estacionamento. Meredith abriu a porta do carro. — Quer que o leve a New Haven?

— Na verdade, gostava de ver a casa. Se for possível.

Durante a viagem, não disseram nada. A sua respiração embaciou o vidro, o que os fez rir, depois mergulharam no silêncio. Daniel desejou que a viagem durasse para sempre. Meredith desligou os faróis ao fundo do caminho de acesso à casa, para não incomodar ninguém. Aproximaram-se na escuridão; o Sapato de Cristal apareceu por cima da sebe de buxos como um icebergue. Era sempre um choque ver a casa, mesmo para aqueles que nela viviam.

— Uau! — disse Daniel. — Muito moderna. Não é o que eu estava à espera.

Também não estava à espera de Meredith. Nenhum deles queria sair do carro. Estavam numa bolha. As folhas amarelas caíam na noite escura. As últimas traças deambulavam de candeeiro em candeeiro.

— Esperava uma mansão sinistra? É o Sapato de Cristal. É uma casa famosa. O proprietário é arquitecto e o pai dele foi o arquitecto que a desenhou. Os pássaros de que lhe falei estão sempre a tentar voar através dela.

Saíram e caminharam à sombra dos buxos.

— Que idade tinha o seu fantasma quando morreu? — perguntou Daniel.

— Vinte e quatro ou vinte e cinco anos.

— Era jovem.

Seguiram o caminho de lajes de ardósia através da escuridão.

Meredith segurou-se à manga do casaco de Daniel Finch para não tropeçar, pelo menos foi o que lhe disse, num murmúrio. Talvez fosse por outra razão completamente diferente. Sentia-se atraída por Daniel de uma forma estranha e profunda. Ele era alto, com cabelo escuro; tinha uma boca generosa e um porte descontraído. Quando ouvia, escutava verdadeiramente. Meredith sentia-se como uma traça. Desorientada. Confusa. A noite estava fria, com a possibilidade de geada. Daniel aproximou-se mais de Meredith, com o coração a bater muito depressa.

— Não podemos fazer barulho — murmurou ela.

Daniel estava a ficar com dúvidas. Era um físico teórico, não um caça-fantasmas. E se o seu mentor tivesse razão? Se assim fosse, Daniel estava aqui com uma louca e nem sequer tinha transporte próprio.

— Olhe para o caminho — disse Meredith.

Na ardósia havia uma faixa de fuligem negra, indicando-lhes o caminho. Seguiram-na à volta da casa, até ao pátio. Ambos sentiram o impulso de dar as mãos, mas nenhum fez o primeiro gesto.

Apesar disso, estavam juntos a ir ao encontro de algo, e sabiam-no; algo mais do que sombras de escuridão na noite fria. Qualquer coisa podia acontecer. Espíritos convocados; espíritos escorraçados. Havia um leve eco de vozes. Daniel sentiu a pele gelar ao ouvi-lo. Mas não havia nada fantástico à espera deles, apenas as crianças da família sentadas à mesa do pátio — um rapaz alto e magro de dezassete anos, com um papagaio empoleirado no ombro, e uma menina loira de onze anos, com um exemplar do livro *Magic by the Lake*, de Edward Eager, à sua frente. Na verdade, à distância, pareciam encantadores. Até se reparar na expressão carrancuda do rapaz.

Assim que Meredith e Daniel saíram das sombras, a menina correu para Meredith e abraçou-a.

— O Sam disse que tínhamos de sair de casa — disse Blanca.

Ultimamente, Sam passava quase todo o dia a dormir. Tinha olheiras negras debaixo dos olhos. Quanto mais dormia, mais escuras ficavam. A família e Meredith já não discutiam o seu estado. Sam tentara manter a promessa que fizera de se manter limpo, mas não conseguira. Estava a consumir de novo. Meredith sabia que ele lhe ia à mala, que roubava coisas da casa. Candelabros. Um serviço de chá de prata. Aquilo a que conseguia deitar a mão. O seu único interesse, para além das drogas, era o papagaio. Cortava-lhe laranjas, comprava alface fresca, certificava-se de que tinha sempre muita ração e biscoitos; passava horas a tentar ensinar ao pássaro algumas asneiras seleccionadas. *C'um caralho* era a que *Connie* aprendera recentemente a repetir.

— Trazes companhia — disse Sam, quando Meredith e Daniel se aproximaram. — Onde é que o encontraste, à beira da estrada?

— Na biblioteca — disse Meredith.

— Fora daqui! — disse o papagaio. — C'um caralho.

— Estava a tentar ensiná-lo a dizer *Vai-te foder, Cynthia*, para ser mesmo pessoal e com significado, mas ele recusa-se.

— Só diz *Vai-te* — disse Blanca.

Sam estava a estudar Daniel. Um metro e oitenta, cabelo revolto, com um sobretudo velho, uma pasta na mão. Um professor ou coisa do género, de certeza.

— Livra-te deste tipo, Meredith. É um totó. Olha para ele. Quem é que anda de pastinha na mão?

— Sou físico. — Daniel Finch sentou-se à mesa, em frente de Sam. Viu como os olhos do rapaz estavam dilatados. Reparou nas feridas no rosto de Sam. Os opiáceos davam comichão.

— Ah, sim? Bom, já que é assim tão esperto, porque não me diz qual é o nosso objectivo no mundo?

— Isso é para os filósofos. Eu não lido com o significado da vida, apenas com a sua essência.

— *Touché* — disse Sam. — Boa resposta. Quem precisa de significado, não é? Que se foda o significado.

— Sam — disse Blanca.

— Que se lixe o significado. Está melhor assim? Todos sabemos o que eu quero dizer, seja como for. Mas é assim que se deve viver no mundo. Evitar a verdade a todo o custo.

Sam perdera muito peso desde o incidente com o giz. Já não parecia um menino de alguém. Parecia acabado e, quando ficava maldisposto, como agora, tornava-se azedo. Às vezes, Meredith achava que conseguia ver o velho em que ele se tornaria através da expressão que o seu rosto estava a adquirir. As suas mãos tremiam quando estava pedrado e Meredith reparou que estavam a tremer agora.

— Então, vais fodê-lo agora ou mais tarde? — perguntou-lhe Sam.

Blanca tapou os ouvidos com as mãos.

— Pára de dizer essa palavra!

— Desculpa, Ervilhinha. — Às vezes, Sam esquecia-se de que Blanca era apenas uma criança. Ela parecia tão crescida. Provavelmente falava de mais à frente dela. Mostrava-lhe demasiado do que se passava dentro dele. — Estou com um ataque de tagarelice — disse, desculpando-se em geral. — Não me liguem.

— Ele disse que a Cynthia podia matar-nos — anunciou Blanca a Meredith. — Foi por isso que tivemos de sair de casa. É por isso que estamos aqui fora. Diz que ela é uma assassina que nos pode assassinar enquanto dormimos.

— Queria dizer que ela nos mataria emocionalmente — disse Sam. — Espiritualmente. Já me matou a mim.

— Não foi isso que disseste — insistiu Blanca. — Disseste que ela viria atrás de mim com uma faca. Que podíamos ter de voar para longe.

125

— Bom, e pode ser verdade! — disse Sam. — Sabes que não podemos confiar nela.

— Sam! — exclamou Meredith. Não admirava que a pobre Blanca parecesse sempre tão preocupada.

— Não sei o que disse — admitiu Sam à irmã. — Estava a falar sem pensar. Era apenas uma situação hipotética. Achas que alguma vez deixaria que alguém te atacasse com uma faca? Cortava-a ao meio, antes disso.

Blanca pareceu mais animada.

— A sério?

— Talvez até em três partes.

— Vou pô-los na cama — disse Meredith a Daniel. — Não desapareças.

— Sim, a minha irmã é bebé e eu tenho seis anos — disse Sam. — Põe-nos na cama, querida ama.

— Está muito frio para o *Connie* aqui fora, já pensaste nisso? — perguntou-lhe Meredith.

Sam enfiou o papagaio no bolso do casaco.

— Pensei que estavas acostumado ao clima frio do Connecticut — disse ao pássaro.

Enquanto Meredith levava os miúdos para dentro, Daniel pensou na teoria dela — que a ligação mais profunda não era a uma pessoa ou a uma situação, mas sim a um tempo. Estava a pensar em como não conseguia deixar de olhar para ela.

— Meu Deus, desculpa — disse Meredith quando voltou. Trazia uma garrafa de *whisky* consigo. Não se incomodara em trazer copos. — Pensei que íamos precisar disto. O Sam não é aquilo que pensas — disse, depois de beber um trago. — É bom rapaz, na verdade. É talentoso. Simplesmente as drogas fizeram-no descarrilar.

— Pareces mãe dele — observou Daniel.

— Bom, mas não sou.

— Ele precisa de uma desintoxicação.

— Precisa de muitas coisas — disse Meredith, em tom fatigado. — Já esteve em desintoxicação.

— Olha. — Daniel apontou para cima. Estavam a cair cinzas, numa linha negra e fina. Pareciam flocos de neve, mas pretos. Talvez fosse fuligem da chaminé ou detritos de um avião de passagem;

talvez fosse um fenómeno meteorológico bizarro, areia negra recolhida nalguma praia distante e agora depositada no relvado.

— O que aconteceu quando ele tinha seis anos? — perguntou Daniel. — O Sam mencionou essa idade.

Meredith bebeu um gole e passou-lhe a garrafa.

— Foi quando a mãe dele morreu.

— Então foi assim que chegaste à tua teoria. As pessoas ficam presas no tempo, por isso os espíritos devem ficar também?

— Não — disse Meredith. — Cheguei a essa teoria quando me apercebi de que não conseguia passar dos dezasseis anos.

Nesse momento, Daniel não queria saber se alguma vez voltaria para New Haven ou se chegaria a acabar a sua tese. Este era o instante mais puro que alguma vez vivera; a forma como se sentiu, por dentro, nesse momento. Se tivesse de ficar preso num *para sempre*, escolheria este preciso momento. A noite negra, as poucas folhas amarelas que ainda se agarravam às árvores despidas, a bela mulher de olhos escuros a beber *whisky*, a forma como olhava para ele, como o fazia sentir-se.

— E isso é mau?

— Para mim, é. Arruinei a vida de outra pessoa.

— Não acredito nisso.

— Não me conheces. Era nadadora, agora morro de medo de piscinas. Não consigo ultrapassar essa coisa má que aconteceu.

— Então estás presa no tempo, como o teu fantasma.

— Ela não é minha. — Meredith pegou na garrafa de *whisky* e bebeu demoradamente. — Mas somos parecidas. Incapazes de avançar.

Daniel Finch pensou no assunto. Sentia-se trespassado pelo desejo. Estava completamente perdido e não queria saber.

— Desfaz o tempo em que estás presa. — A matéria destruída volta a ganhar forma sob outra aparência. O passado terrível de Meredith podia transformar-se no presente, por exemplo; tornar-se-ia neste momento com ele.

— Como? — Meredith inclinou o rosto para ele. Estava concentrada, com a testa franzida.

— Faz aquilo de que tens mais medo.

— Assim, sem mais nem menos?

— Não penses. Pensar é sobrevalorizado.

— Como pode um académico dizer isso? Seja como for, sempre achei que os sentimentos é que eram sobrevalorizados.

— É aí que te enganas.

Meredith olhou para ele.

— Assim, sem mais nem menos? — repetiu.

Ele acenou.

— Não penses.

Meredith levantou-se e aproximou-se da piscina. Sentia-se sem fôlego, estúpida e aterrorizada. Parou junto à beira. Havia algumas folhas amarelas a boiar na água escura. Daniel mal conseguia distinguir a silhueta dela na escuridão. Meredith despiu primeiro o casaco, depois descalçou os sapatos. Despiu as calças de ganga e as cuecas, a camisola e o *soutien*. Recusou-se a pensar. A sua mente estava repleta de estática, eléctrica, cheia com o presente, cheia de folhas amarelas, deste momento, desta água, deste tempo.

Daniel viu-a aproximar-se da piscina, aturdido e excitado. Nunca se libertaria disto, nem queria. Conseguia ver agora os contornos do corpo de Meredith. As suas costas compridas e brancas. Antes que conseguisse observá-la tão bem como queria, ela desapareceu; teria gostado de poder olhar definitivamente para ela mas, com um movimento, ela mergulhou na água escura. Daniel não fazia ideia se devia segui-la ou se, ele próprio como um espectro, simplesmente devia esgueirar-se entre a fuligem e os buxos e desaparecer noutro tempo e espaço.

Estava frio suficiente para Daniel conseguir ver a sua respiração no ar. Não era grande nadador, mas não pensou nisso. Despiu as suas roupas. Atravessou o pátio, deixando as calças, a camisa e a roupa interior numa pilha, com a pasta e o casaco. Parou à beira da piscina. Meredith já estava a boiar. Viu-o entrar na água como um grande peixe tímido. Ele era desajeitado e fê-la rir. Daniel chapinhou até junto dela.

— Nadas muito mal — disse Meredith.

— Eu sei. Mas jogo pingue-pongue. E sei patinar no gelo. — Estava a tremer. Era embaraçoso. O frio, o *whisky*, a estranheza da noite.

— Houve uma pessoa que se matou por minha causa, em tempos — disse Meredith.

— As pessoas matam-se por causa do que está dentro delas, não por causa de outras pessoas.

Daniel sentia-se completamente hipnotizado. Não estava a dar aos braços e pernas, simplesmente a flutuar.

— É um princípio da física? O suicídio só pode ser causado por uma pessoa? — perguntou Meredith.

— *Sui* significa o próprio — disse Daniel.

— Achas-te muito inteligente.

Daniel flutuou para mais perto. Pôs as mãos na cintura dela. Sentia-se carregado de electricidade. O seu mentor, o Dr. Rosen, teria dado uma boa gargalhada; os seres humanos podiam realmente ser reduzidos a correntes e impulsos. Não era disso que o desejo era feito?

— Não faço isto há tantos anos — disse Meredith. As pontas dos seus cabelos molhados estavam coladas aos ombros.

— Nadar?

Meredith riu-se um pouco.

Ele aproximou-se mais, com os braços à volta dela, até os seus rostos se tocarem. A água negra redemoinhava à volta deles. Algumas folhas caíram dos áceres sem salpicar água.

— Fazer amor com alguém. Amar alguém.

Daniel beijou-a e não parou. Só quando ela se afastou.

— Assim vamos afogar-nos — disse Meredith.

— Óptimo. Vamos.

Daniel beijou-a de novo e o resto foi fácil. Mais fácil do que tantos anos antes, quando ela estava demasiado assustada e era demasiado jovem, quando tudo o que não devia ter acontecido acontecera e ela não conseguia deter os acontecimentos, nem sequer compreendê-los.

Ela era nadadora-salvadora nesse Verão, obrigada a usar o fato--de-banho vermelho oficial da piscina municipal, quando teria preferido um biquíni preto. Era capitã da equipa de natação da escola e a sua especialidade eram os duzentos metros mariposa; sentia-se forte, invencível, pronta para saltar para a água e salvar alguém. Passava o dia sentada na cadeira alta de madeira branca, com um apito ao pescoço; cheirava a óleo de coco. Não fazia ideia de quantos rapazinhos sonhavam com ela, no seu fato-de-banho vermelho. Ao longo do ano estivera envolvida com Josh Prentiss, o capitão da equipa de natação masculina, mas no Verão queria ser livre. Tinha apenas dezasseis anos, não estava preparada para se prender a ninguém.

— Sê honesta — diziam-lhe as amigas. — Diz-lhe que queres que sejam apenas amigos.

Ela disse-lhe, mas ele não quis ouvir. À noite o telefone tocava e Merrie, deitada na sua cama, ficava petrificada. Jurava aos pais que devia ser alguém a brincar, mas todos sabiam quem era. Josh começara a rondar a casa dela, a espreitar pelas janelas, pregando um grande susto a Mrs. Weiss, que uma vez o encontrara no quintal. Como é que o amor chegara a isto? A este sítio sombrio e tortuoso? Os telefonemas, o medo, a expressão na cara dele quando passava de carro pela casa.

As amigas disseram-lhe que ele acabaria por se conformar, mas não conheciam Josh; não faziam ideia de que ele observava Meredith na piscina, dentro do carro estacionado, todos os dias. Não sabiam que ela não conseguia dormir à noite, que os seus sonhos estavam cheios de água escura, de telefones a tocar, de um medo brutal. Ele deixava-lhe coisas estranhas junto do vestiário das raparigas na piscina: uma fotografia com o rosto dela cortado, uma meia preta rasgada em pedaços, um ratinho morto completamente embrulhado em fita-cola.

E depois a coisa má e incontrolável acontecera, num dia de Agosto, numa manhã quente, limpa, perfeita. Quando Merrie chegou à piscina havia vários carros da polícia estacionados no exterior e uma ambulância em cima do passeio. Ouviu os paramédicos a falarem: Josh trepara à cerca a meio da noite, e Meredith sabia porquê. Quisera magoá-la, de alguma forma, tal como ela o magoara. Ele vigiava-a, sabia os seus horários. Fê-lo na piscina a pensar em Meredith; do lado de fora do portão ela conseguia ver algo a boiar na parte mais funda. Parecia um saco de roupa suja ou uma saca de pedras, até que se apercebeu de que era um corpo. Antes de os polícias obrigarem Meredith a afastar-se, insistindo que ela não tinha autorização para estar ali, viu uma faixa vermelha na água, um fio escuro e retorcido.

Meredith caiu de joelhos tão depressa e com tanta força que o cimento lhe rasgou a pele dos joelhos e lhe provocou cicatrizes. Pôs a cabeça no chão. As pessoas à sua volta pensaram que ela estava a rezar, mas na realidade estava a suplicar que o tempo voltasse para trás. Um dia, apenas isso. Algumas horas. Tempo suficiente para ela o convencer a não fazer isto, ou para voltar para ele, se fosse necessário.

Tudo tinha um cheiro acre, uma mistura de cloro e sangue. Um dos polícias ajudou-a a levantar-se e levou-a para o bar. Encontrou a sua identificação no saco que ela trazia e telefonou para a mãe dela. O polícia, ao telefone, disse a Mrs. Weiss que tinha havido um acidente; a piscina ia fechar o resto da época e ela devia imediatamente ir buscar Meredith.

Mrs. Weiss parou junto do portão enquanto esperava que o agente lhe trouxesse Meredith. Ela parecia estar em estado de choque; calada e a tremer por dentro.

— Não penses que a culpa foi tua — disse a mãe de Meredith.

— Não te admito isso, Merrie.

Mas Meredith não precisava de pensar. Sabia a verdade. Nunca mais voltou à piscina. Via o corpo dele de cada vez que fechava os olhos. Queria ir ao funeral, mas tinha medo da família dele. Nessa noite, depois de toda a gente o ter chorado e regressado a casa, Meredith pegou no carro da mãe, apesar de ainda não ter carta. Sabia o suficiente para conseguir conduzir. Foi até ao cemitério e trepou o muro. Na escuridão, as lápides eram pretas ou brancas; não parou de procurar enquanto não avistou a campa recentemente tapada. O ar cheirava a pinheiros e a terra. As crianças da cidade juravam que, se uma pessoa entrasse neste cemitério depois de anoitecer e chamasse o nome de um morto, o seu fantasma aparecer-lhe-ia. Meredith chamou o nome de Josh. A sua voz era como o vento; chamou-o durante muito tempo, mas não apareceu ninguém. Ninguém respondeu. Não era assim que as coisas deviam ter acontecido. Ambos deviam ter prosseguido com as suas vidas.

Meredith sentiu algo fechar-se dentro de si. Uma chave a rodar numa fechadura. Um corpo a afundar-se. Ele quisera dar-lhe uma lição, e conseguira-o. O resto do tempo no liceu decorreu como um sonho; nem sequer se incomodou em ir ao baile de finalistas. Meredith candidatou-se à Universidade de Brown. Fez o seu trabalho, tirou boas notas e nunca mais teve um namorado. Quase não falava com ninguém na universidade, excepto com a sua colega de quarto do primeiro ano, Ellen Dooley, que era uma pessoa extrovertida e não deixava Meredith dormir o dia todo durante o fim-de-semana.

Aconteceram coisas na sua família: os seus pais deixaram de falar um com o outro, depois separaram-se, mudaram-se ambos para outro estado. Não havia razão para Meredith voltar à sua cidade natal, mas voltou. Regressava todos os anos. Era o seu segredo; um segredo muito bem guardado. Visitava o cemitério, não no aniversário da morte de Josh ou no aniversário dele — podia encontrar alguém da sua família nessas datas — mas no aniversário do dia em que se tinham conhecido. De cada vez que lá ia, chamava o nome dele. Dizia-se que um fantasma não podia recusar o nosso chamamento, mas este recusava. Tudo o que queria era perdão; tudo o que obteve foi silêncio. Ficava tanto tempo que, por várias vezes, deu com os portões do cemitério fechados quando ia a sair e teve de trepar o muro.

Este ano pedira aos Moody se podia tirar alguns dias de férias em Abril. Nessa altura, já saía com David Finch todos os fins-de-semana, há vários meses. Começara a nadar regularmente na piscina de Yale, e nadar fazia-a sentir-se de novo viva. O passado estava quase arrumado, mas não completamente.

Daniel ligou uma sexta-feira à noite e Cynthia informou-o de que Meredith tinha ido a casa.

— Ela não me disse que ia viajar — declarou ele. — Nem nunca me disse onde cresceu.

— Annapolis, Maryland. Está num hotel no aeroporto de Baltimore. Volta amanhã.

Geralmente, Meredith ia directamente para o cemitério depois de deixar as coisas no hotel, mas esta viagem era diferente. Deixou a via rápida uma saída antes da habitual. Estava a pensar em Daniel enquanto conduzia, imaginando-o como era quando dormia. Dormia profundamente; de manhã, quando acordava e ela lhe perguntava com o que sonhara, dizia sempre: *contigo*.

Foi à esquadra da cidade. Eles demoraram algum tempo a compreender o que ela queria — alguém que pudesse falar com ela sobre o incidente na piscina municipal, tantos anos antes. Alguém que tivesse estado lá. Indicaram-lhe o sargento, que estivera no local;

132

agora era o oficial mais graduado, mas na altura fora apenas um dos jovens polícias que a tinham visto cair de joelhos no cimento e rezar.

— Não estava a rezar, na realidade. Queria apenas que o tempo voltasse para trás.

— Isso é uma oração. — O sargento foi buscar o ficheiro; agora já era de domínio público. — Quer dizer-me o que procuramos no meio de tudo isto? Porque não há nada nos arquivos que possa ajudá-la. Apenas os factos. Ele nem sequer deixou um bilhete. Mas, aqui entre nós, não foi a primeira vez que a polícia esteve envolvida.

— Não, eu nunca telefonei à polícia.

— Queria dizer que não foi a primeira vez que ele tentou. Já tínhamos sido chamados a casa dele duas vezes, no ano anterior. — Antes de ele e Meredith terem começado a namorar.

— Está a inventar isso — disse Meredith.

— Porquê?

Olhou para o sargento. Era um homem perfeitamente normal.

— Porque já viu demasiadas pessoas em sofrimento. Porque é um bom homem.

— Porque é verdade.

Ela estava demasiado perturbada, doze anos antes, para reparar neste polícia quando ele a ajudara a entrar no carro da mãe, mas agora observou-o atentamente.

— Nunca lhe mentiria — disse-lhe ele.

— Não, acho que não.

Meredith não foi ao cemitério. Daniel tinha razão. Josh estivera sozinho na sua decisão; o seu sofrimento era apenas seu, um fardo que ela não podia partilhar.

Meredith conduziu às voltas e, quando começou a escurecer, voltou para o hotel. Quando entrou no quarto a luz do telefone estava a piscar. Daniel deixara uma mensagem. Estaria à espera dela no aeroporto de Bradley quando ela chegasse de manhã, a menos que lhe ligasse e lhe dissesse para não ir. Meredith tomou um duche demorado e enfiou-se na cama e, para variar, dormiu bem. Não fora uma viagem em vão, estava simplesmente tudo acabado. Acordou antes de o despertador começar a tocar e a verdade era que estava pronta para partir antes de o dia nascer.

John e Cynthia faziam dez anos de casados e era altura de celebrar. Estavam a celebrar não só o casamento propriamente dito mas, mais importante ainda, o facto de, contra todas as expectativas, depois de dez anos de tentativas, Cynthia estar grávida. Cynthia estava fora de si de felicidade; parecia outra pessoa, o ar grave e a raiva tinham desaparecido. Há meses que andava a planear a festa. Tendas no relvado, uma banda de *jazz*, jantar servido pela Eagle Inn, baldes de champanhe gelado em todas as mesas, apesar de Cynthia ter deixado de beber. Lera tudo a que conseguira deitar a mão sobre nutrição pré-natal e surpreendera-se a si própria com a paixão que tinha pela sua gravidez. Fazia uma caminhada com *Dusty*, duas vezes por dia, e ioga pré-natal todas as tardes. Até John, geralmente tão azedo, parecia radiante com o bebé. Uma segunda oportunidade de fazer as coisas bem feitas.

Cynthia e John pediram a Meredith para ficar, mas ela já se tinha mudado para New Haven e estava a viver com Daniel Finch. Continuava a ajudar, em *part-time*. Odiava deixar Sam e Blanca, mas Sam estava quase a fazer dezoito anos e Blanca tinha doze, muito crescida e responsável, perfeitamente capaz de ir e vir sozinha das aulas de *ballet* e de pintura, na sua bicicleta.

Meredith estava a tratar dos cartões de marcação de lugares para a festa, escrevendo cada nome à mão, sentada a uma mesa ao pé da piscina. Ia ter saudades de nadar aqui. Daniel jurava que, quando se mudassem para a Virgínia, onde conseguira um lugar na universidade local, se certificaria de que viveriam perto de uma piscina. Não interessava o custo. Casa comprada ou arrendada. Apartamento ou vivenda. Não se importava se tivesse de pagar a piscina para o resto da vida.

Daniel pedira Meredith em casamento, mas ela dissera-lhe que precisava de tempo.

— A nossa relação começou por causa do tempo — disse Daniel. — Tu acreditavas que uma pessoa podia estar tão fortemente ligada a um tempo que nem mesmo a morte poderia cortar essa ligação. Pensas sinceramente que mais tempo te dará a resposta, se não a sabes agora?

— Talvez. Ou talvez não.

Daniel deu-lhe um anel de diamante que pertencera à mãe. Era uma antiguidade, encastrado em platina.

— Eu uso-o — disse-lhe Meredith. — Mas não estou a comprometer-me com nada.

Apesar disso, enquanto ajudava na festa dos Moody, Meredith pensou em como se sentiria se estivesse a organizar o seu próprio casamento em vez do aniversário de John e Cynthia. Para começar, quereria uma coisa pequena. Nada de pessoas de quem na realidade não gostava. Nada de multidões de bêbados a dançarem a noite inteira.

— Já se apercebeu de que convidaram toda a gente da cidade? — disse Meredith quando Cynthia saiu para se juntar a ela.

A Primavera fora maravilhosa. Não chovera demasiado, nem houvera demasiados mosquitos. O *basset hound* vinha nos calcanhares de Cynthia, tropeçando nas próprias orelhas. O cão era cegamente devotado a Cynthia. Uivava sempre que ela saía sem ele e nada do que John Moody fazia conseguia dissuadir o cão de dormir no quarto deles, embora, felizmente, *Dusty* tivesse as pernas demasiado curtas para conseguir saltar para cima da cama.

— Meu querido *Dusty* — disse Cynthia, pegando-lhe ao colo —, prometo que não vou negligenciar-te quando o bebé chegar. Vou continuar a dar-te hambúrguer. — Pegou na pilha de respostas aos convites. — Na verdade, não convidei toda a gente. O George Snow, por exemplo.

Meredith ergueu os olhos do que estava a fazer.

— O John pode ser cego. Mas eu não sou. O George passava aqui noite e dia quando a Arlyn estava a morrer. Ambas sabemos a verdade. Basta olhar para a Blanca. Ela não tem nada do John.

— É inteligente e talentosa. Parece-se com ele nesse aspecto. Convidou a Helen e o Art Jeffries? — Eram os proprietários da Eagle Inn, que esperavam ser convidados para todos os eventos para os quais forneciam a comida.

— Obrigada por me lembrar. Vou ligar-lhes esta tarde. O que será de mim quando se for embora? — Nunca tinham realmente gostado uma da outra, mas trabalhavam bem juntas.

— Contratará outra pessoa qualquer. Vai correr tudo bem.

— Quero-a aqui bem cedo no dia D, para o caso de precisar de si — disse Cynthia. — Especialmente se o Sam armar alguma.

135

Sam andava ainda mais reservado, ultimamente. Levava uma existência paralela, apesar de viver na mesma casa que o resto da família. Eles não o incomodavam; ele não os incomodava. Funcionava bem. Menos discussões, menos cenas. Viver e deixar viver. Mas havia sempre aquela preocupação de que algo cedesse. Ele podia fazer alguma coisa que despedaçaria esta vida calma que levavam e os deixaria a rodopiar na escuridão.

— Não queremos que ele perturbe a mãe do John — disse Cynthia.

Diana Moody conseguira vir da Florida para a festa, embora não estivesse bem. O enfarte obrigara-a a abrandar o ritmo de vida e recentemente fora-lhe diagnosticado diabetes.

— Estávamos a pensar em internar o Sam num centro de desintoxicação de drogas antes da festa, fazia sentido, mas a Diana soube e ficou perturbada. Ainda pensa nele como uma criança.

— Não sei o que acontecerá se ele não tiver ajuda em breve — disse Meredith. — Assim que fizer dezoito anos, deixarão de ter o direito legal de tomar essas decisões por ele.

— Só quero que esta festa corra sem incidentes, depois pensaremos no que fazer a seguir.

— Pensei que era capaz de o salvar — disse Meredith.

— Ninguém era — disse Cynthia. — Mas pelo menos tentou.

Foi Blanca que telefonou quando aconteceu, o súbito colapso, a queda das suas vidas que despedaçou o sossego. Foi no dia da festa, claro; um sábado. Meredith e Daniel estavam na cama. Tinham planeado dormir até tão tarde quanto pudessem, até Meredith ter de ir para casa dos Moody para ajudar com a festa. O telefone tocou às seis e meia da manhã.

— Não atendas — disse Daniel a Meredith.

Ela não seguiu o conselho dele.

— E se morreu alguém?

— Saberemos mais tarde. Ou amanhã.

Meredith disse *Estou?* para o auscultador. Ouviu uma respiração. Percebeu que Daniel tinha razão.

Era Blanca. Uma Blanca muito calma.

— Ele desapareceu.

Meredith observava o sol que entrava através das persianas. O ar estava cheio de partículas de poeira.

— Ele costuma fazer isso, Bee. Sabes bem que sim — tranquilizou-a Meredith. — Há-de voltar.

— Desta vez é diferente. A Cynthia encontrou drogas e deitou-as para a sanita. O Sam perdeu a cabeça. Ficou tão zangado que me meteu medo. Disse que ela não tinha o direito de deitar fora uma coisa que lhe pertencia. Que era uma violação dos seus direitos de privacidade. Empurrou-a e ela caiu. Não foi de propósito, estava apenas a tentar passar por ela. Ela estava à porta e recusava-se a sair, estava a tapar-lhe o caminho. Ele disse-me que ia para Nova Iorque. Nunca mais vai voltar. Disse que tinha de voar para longe. Que lhe estava no sangue.

— Merda — disse Meredith.

— A minha avó ficou tão aflita que tiveram de chamar o médico. Disse à Cynthia que ela nunca tentou sequer compreender o Sam. Agora elas também não se falam. Ele deixou o *Connie*. Não sei o que hei-de dar-lhe para comer.

— Dá ao papagaio uma maçã cortada e um bocado da ração que está na cozinha — disse-lhe Meredith.

Daniel estava agora bem acordado.

— O Sam? — perguntou baixinho. Quando Meredith acenou afirmativamente, disse: — Diz à Blanca que veja no telefone do quarto dele o último número para onde ligou.

Blanca assim fez e voltou a ligar para Meredith com o número da última chamada feita por Sam.

— O teu pai anda à procura dele? — perguntou Meredith.

— Estás a brincar? Quando o Sam empurrou a Cynthia e ela caiu, o meu pai bateu-lhe.

Blanca começara a chorar. Estava a tentar disfarçar, mas Meredith ouviu-a fungar.

— Blanca, acalma-te. Eu trato do assunto.

— Acho que não consegues.

— Passo aí por casa para falar com o teu pai antes de ir à procura dele. Prometo.

Meredith desligou e começou a vestir-se.

— Talvez esteja na altura de telefonar à polícia — sugeriu Daniel. — Para o bem dele.

— Não cometeu nenhum crime. Seja como for, não o conheces... quanto mais corremos atrás do Sam, para mais longe ele foge.

— Então experimenta o número que a Blanca te deu.

Ninguém atendeu à primeira chamada. Mas ainda não eram sete da manhã. Meredith tentou de novo.

Por fim, uma jovem atendeu. Uma voz ensonada.

— Posso falar com o Sam?

Uma pausa. Alguém murmurou. Depois: — Qual Sam?

— O Sam que pertence a uma raça de pessoas que vivem no Connecticut e conseguem voar.

— Sim, claro, se assim o diz.

Ouviu algum ruído de fundo e depois Sam atendeu.

— Não vou voltar — disse. Sem sequer um olá, claro. Sem perguntar quem era. E, obviamente, sem pedir desculpa por toda a aflição que causara.

— Está bem, mas posso levar-te as tuas roupas? E não vais deixar o *Connie*, pois não? — Ele adorava o papagaio; ela tinha de tentar chegar até ele, fosse de que maneira fosse.

— És muito manhosa. — Sam parecia muito distante. Estava pedrado.

— Quem é a rapariga que atendeu o telefone?

— E bisbilhoteira. A Merrie Bisbilhoteira que quer mudar o mundo. Está bem, podes trazer-me tudo se prometeres parar de fazer perguntas estúpidas. E não podes dizer ao velho onde estou.

Meredith escreveu a morada. Manhattan. 19th Street. Apartamento 4C. Vestiu-se em silêncio.

— Não pensas que vou deixar-te ir sozinha, pois não? — Daniel já saltara da cama e estava a enfiar as calças. — Nem sequer sei por que raio estamos tão envolvidos na vida destas pessoas.

— Porque eu sei o que acontece quando não nos envolvemos.

— Desculpa. — Daniel aproximou-se dela e puxou-a para si. Meredith nem sequer se dera ao trabalho de escovar o cabelo. Queria apenas despachar-se. — Sabes que nem todas as coisas más que acontecem no mundo são necessariamente culpa tua, não sabes?

— Como tens a certeza?

— Porque tenho — respondeu Daniel.

Foram até casa dos Moody. As tendas já estavam montadas no relvado, amarelas e brancas, a flutuarem como nuvens. Mas a parte mais alta das tendas estava coberta de fuligem e o responsável estava a ter um ataque de nervos — todos os pratos que tinham trazido

138

na noite anterior estavam partidos. Além disso, havia meia dúzia de pássaros presos dentro das tendas e ninguém ·conseguia tirá-los de lá.

— Pássaros, cinzas, pratos — disse Daniel —, parece que esta festa está condenada.

Cynthia saiu de casa. Estava branca como a cal. O cão vinha atrás dela.

— Não o quero de volta a esta casa e o John está de acordo — disse. — Ele empurrou uma grávida. O que fará a seguir?

— Compreendo — disse Meredith.

Daniel esperou no exterior enquanto Meredith entrava. Blanca e a avó estavam sentadas na cama de Sam. Blanca já vestira o seu vestido azul-claro para a festa e tinha o cabelo preso numa longa trança. As suas pernas tinham crescido muito, recentemente. Diana Moody ainda estava de roupão. Nunca estivera muito entusiasmada com esta festa e agora achava que o melhor era pedir desculpa e ficar na cama, apesar de ter feito uma viagem tão grande para estar presente.

— Aquela maldita Cynthia — disse Diana Moody. — Sempre achei que o John não devia ter casado com ela.

John mandava sempre as crianças passarem as férias da Páscoa com a avó até a saúde de Diana começar a ceder. Surpreendentemente, Sam ia sempre. Diana ainda o via como o rapazinho de quem não gostava e que a conquistara num cemitério. Era louca por ele, fossem quais fossem os seus defeitos.

Diana era agora terrivelmente frágil. Já nada a interessava muito para além dos netos. Desejava que Arlyn não tivesse morrido tão nova. De vez em quando, sonhava com o dia em que encontrara Sam escondido no banco de trás do carro. Sonhava que o via trepar àquela grande árvore enquanto a mãe estava em casa, a morrer.

— Vou preparar um cesto de comida para o Sam — disse Diana. — Eu sei do que ele gosta.

Quando Diana desceu para a cozinha, Meredith e Blanca encheram uma mochila com roupa.

— Não quero viver aqui se o Sam não estiver cá — disse Blanca. — Fujo.

— O Sam é quase um homem. Precisa do seu próprio espaço.

139

Talvez se endireite se estiver noutro ambiente. — O papagaio estava a grasnar como um louco. — Cala-te — disse Meredith.

— Fora daqui! — respondeu o papagaio.

O pássaro tinha uma voz melancólica e estava habituado a ser ignorado; ninguém o ouvia, a não ser Sam. O vocabulário de *Connie* não progredira muito; repetia apenas algumas palavras soltas: *Olá, Fixe, Fora daqui*. Para grande consternação de *Dusty*, o *basset hound*, conseguia ladrar de forma feroz.

Meredith arrumou ténis, calças de ganga e um casaco quente, bem como giz e aguarelas. Tirou a carteira de Sam de cima da secretária e a sua escova de dentes eléctrica. Atirou as coisas do papagaio para um saco de asas. Blanca abrira o armário e tinha a cabeça baixa. Mas isso não escondia que estava a chorar. De súbito, Meredith sentiu-se exausta. Não tivera tempo de beber café. Tinha as mãos a tremer.

— O Sam é o Sam — disse Meredith a Blanca. — Fará o que costuma fazer e nós continuaremos a amá-lo. Como sempre o amámos.

Blanca acenou em sinal de concordância, mas os seus ombros continuaram a tremer. Limpou os olhos com a bainha da saia. Odiava aquele vestido. Andava a pensar em cortar o cabelo e em mudar de nome. Estava farta de ser sempre tão boazinha. Estava farta de ter doze anos.

— Vou levar isto. — Blanca pegou na velha caixa de sapatos fechada com fita-cola e enfiou-a na mochila. — Ele disse-me que tinha nela todos os seus tesouros.

No último minuto, Meredith pegou na almofada de Sam e num cobertor. Talvez ele tivesse frio.

— Bem pensado — disse Blanca. Olharam para a colecção de facas antigas.

— Vamos deixar estas — disse Meredith, e, apesar de tudo, conseguiram rir-se um pouco.

Quando desceram, Diana estava à espera delas com um cesto de piquenique.

— Digam-lhe que eu o amo — pediu. Tinha feito duas sanduíches de manteiga de amendoim, as preferidas de Sam quando era pequeno. Havia também uma caixa de bolachas com pepitas de chocolate, algumas latas de feijões e de sopa, um saco de pãezinhos e um grande queijo roubado à festa.

Blanca ajudou Daniel a arrumar tudo no carro. Meredith viu John Moody junto da piscina.

— Volto já.

Meredith passou pelas tendas. Tinham montado uma pista de dança sobre a relva. John vestia o seu melhor fato cinzento. Meredith vivera com eles quase dois anos e John Moody era um perfeito desconhecido para ela. Sentia que conhecia Arlyn melhor, apesar de Arlyn ter morrido há doze anos.

— Vou levar ao Sam algumas das coisas dele. Ele precisa de tempo. Acho que devia ajudá-lo financeiramente — disse Meredith a John Moody. — Se ele estiver desesperado por dinheiro, ainda será pior.

— Claro.

— Acho que ele não tinha intenção de empurrar a Cynthia. O Sam não é assim.

— Quer que vá consigo?

— Tendo em conta a discussão que tiveram, é melhor se eu for sozinha.

John aceitou. Na verdade, não sabia o que sentir. Nunca tinha batido em ninguém e agora batera em Sam, com força. Também não soubera o que sentir quando Arlyn estava a morrer. Viera para o jardim, para este exacto local, e chorara, apesar de George Snow estar sentado à cabeceira da sua mulher. E agora estava aqui de novo, ainda perdido.

— Não sei o que fazer — admitiu.

— É uma situação complicada. — Meredith olhou para as árvores e viu a forma de uma mulher.

— Você vê-a, não vê? — perguntou John Moody.

— Acho que a vejo porque o John a vê. Se é que isso faz sentido. Vejo como sente a falta dela.

— Não sabia que isso ia acontecer. Desde o princípio que quis escapar-me àquele casamento.

— Acha que é o tempo ou o espaço ou uma pessoa que a prende aqui?

— Está a perguntar à pessoa errada. Não faço ideia. Para ser honesto, tentei tudo e mais alguma coisa para me ver livre dela, mas ela não desaparece. É tudo o que sei. Sei que o Sam não se teria tornado aquilo que é se ela ainda cá estivesse. Se o encontrar, pode dizer-lhe que não tive intenção de lhe bater?

Meredith voltou para junto do carro e viu Blanca sentada no banco de trás a ler *Magic or Not?* O papagaio estava numa gaiola ao lado dela, a grasnar.

— Tu não vais — disse-lhe Meredith.

Blanca reparou no anel de diamante.

— Uau!

— Não é o que estás a pensar — disse Meredith. — Não estamos noivos. É um anel de amizade. E, por favor, põe um lenço por cima da gaiola do *Connie* para ele não ter um ataque. Depois tens de voltar para casa. Vais dar cabo do vestido.

— Tenho de ver por mim própria que o Sam está bem. — Blanca pegou numa camisola de Sam, atirou-a para cima da gaiola e *Connie* acalmou-se.

Meredith virou-se para Daniel.

— Como pudeste deixá-la entrar no carro?

— Não deixei. Ela apanhou-me distraído.

— Também vou — insistiu Blanca. — A nossa mãe havia de querer que fosse.

— Boa tentativa — disse Meredith. — Mas não vais, de modo nenhum.

— Mas ela havia de querer. Qualquer mãe quereria.

— Tens de lhe dar razão, nesse aspecto — disse Daniel.

Meredith entrou para o lugar do passageiro.

— Desisto. Mas, se o local tiver muito mau aspecto, ficas dentro do carro.

Conduziram até Nova Iorque em silêncio, ouvindo rádio. Felizmente não havia muito trânsito. Na 23rd Street não encontraram um único semáforo vermelho; Daniel conduziu tão depressa que Meredith não conseguiu ver se o salão de chá onde vira John Moody pela primeira vez ainda existia. A rua onde Sam estava instalado era simpática, embora o prédio parecesse algo degradado.

— Não tem mau aspecto — disse Blanca.

— Talvez eu deva entrar primeiro, para ver se não há problema — disse Daniel depois de estacionarem.

— Não vai haver problema — disse Meredith. — Seja como for, nós vamos entrar.

Pegaram nas coisas de Sam e dirigiram-se à entrada do prédio. A porta da rua estava aberta; subiram as escadas até ao apartamento 4C e tocaram várias vezes à campainha. Uma jovem da idade de Sam abriu a porta. Vestia calças de ganga e uma camisola e tinha o cabelo preto curto e espetado. Deixou-os entrar sem perguntar quem eram nem o que vinham fazer; talvez fosse tão óbvio que nem valia a pena. A família, com as coisas. Afinal de contas, traziam o papagaio, que estava a resmungar por baixo da camisola de Sam, *Vai-te. Vai-te. Vai-te.*

O apartamento estava desarrumado — havia pratos de comida por todo o lado e copos a servir de cinzeiros e roupas e jornais espalhados pelo chão — mas o espaço em si não era mau. Estavam duas pessoas a dormir na sala, enroladas em cobertores. Era impossível dizer a idade ou o sexo ou mesmo se estavam vivas. Cheirava a suor e a fumo.

— Como consegue pagar a renda? — perguntou Daniel. Era um apartamento muito melhor do que o dele em New Haven.

— Era o apartamento da minha avó — disse a rapariga que abrira a porta. — Rendas antigas. Eu vivia aqui e tomava conta dela. Quando morreu, o apartamento ficou para mim.

Sam estava no quarto a ver televisão. Estava sentado na cama, com as costas encostadas à parede; parecia nervoso e agitado antes mesmo de eles lhe caírem em cima.

— Trouxeste-a para esta espelunca? — perguntou a Meredith quando viu Blanca. — És maluca?

— E que tal um agradecimento por termos arrastado as tuas tralhas até aqui? — perguntou Meredith.

Blanca pousou as roupas lavadas de Sam que trazia nos braços e subiu para a cama, para se sentar ao lado dele. Sam estava a remexer nas coisas.

— A minha escova de dentes eléctrica — disse, alegremente.

— Ela é tua namorada? — perguntou Blanca, referindo-se à rapariga de cabelo escuro.

— Chama-se Amy — disse Sam.

Amy parou à porta.

— Vou salvá-lo.

Meredith virou-se e observou Amy com mais atenção. Era magra e usava botas pretas pesadas; a camisola tinha buracos nas mangas. O seu rosto parecia assimétrico. Era uma pessoa séria. Não bonita, exactamente, mas inspirava confiança.

— Ela acha que consegue mudar-me — disse Sam, divertido. — Não compreende que estou condenado.

— A Meredith vai casar — disse Blanca. — Olha para o anel dela.

— É um anel de amizade — explicou Meredith a Sam.

Apesar disso, Sam pegou-lhe na mão e estudou o anel.

— Não é lá muito grande — disse.

Meredith reparou na nódoa negra na cara dele. O pai, de cabeça perdida. O concurso de medição de forças que tinha de acabar em alguma coisa e, infelizmente, acabara nisto.

— Gostava que ainda estivesses em casa — disse Blanca ao irmão.

— Terás um novo irmão em breve. Talvez seja um rapaz. Sou fácil de substituir.

— Vou odiá-lo, seja o que for — disse Blanca, macambúzia. — Irmão ou irmã.

— Pareces eu. Pára com isso. Aha! — Sam tirou da mochila a velha caixa de sapatos que Blanca lhe trouxera e pousou-a no colo. — Ainda bem que me trouxeste isto. Agora posso dar-te uma coisa que é para ti. Devia dar-ta só quando fosses crescida, mas acho que já és suficientemente crescida.

Blanca sentou-se ombro com ombro com o irmão enquanto ele abria a caixa de tesouros. Sempre quisera ver o que lá estava dentro. Era uma confusão de coisas soltas, cartas e fotografias e pequenos ossos.

— O meu esquilo — disse Sam. — O *William*.

— *Blargh* — disse Blanca.

Havia uma fotografia da mãe deles. Blanca segurou-a debaixo da luz. Não havia fotografias dela em casa. Não era esse tipo de lar.

— Olha para as sardas dela.

— Setenta e quatro na cara — disse Sam. — Ela disse-me. Contou-as. — Tirou algo embrulhado num lenço de papel e entregou-o a Blanca.

— São mais ossos de esquilo?

144

— Ossos de dragão. Matei-o uma noite no alto do telhado e os ossos dele eram feitos de estrelas.

— Muito engraçado — disse Blanca. — A sério.

Meredith aproveitara a oportunidade para estudar o quarto. Havia um cachimbo e alguma marijuana em cima da cómoda e várias garrafas de *whisky* vazias. Abriu uma gaveta. Roupa interior. Seringas. Desejou que esta Amy tivesse mais sorte a salvar Sam do que eles tinham tido.

— Pára com isso — disse Sam, quando reparou que ela estava a bisbilhotar. — Aqui não mandas nada, Merrie.

Blanca desembrulhou o lenço de papel que Sam lhe dera. Lá dentro estava um colar feito de algo que pareciam berlindes pretos. Levantou-o e viu que eram surpreendentemente quentes ao toque.

— As pérolas da mãe — disse Sam. — Estão sujas.

Blanca ergueu-as e soprou. A camada preta estalou e voou como cinzas.

— São tão bonitas — disse Meredith. — Olha para a diferença!

Eram de cor creme, cor de nuvem, cor de neve.

— Não chores — Sam avisou a irmã.

— Não ia chorar. — Blanca fez uma careta e deitou a língua de fora.

Mas chorou quando se preparavam para sair. Daniel deu cem dólares a Sam quando ninguém estava a olhar.

— Não é para drogas. É para comida.

— Não sou viciado — disse Sam. — Sou um consumidor re-creativo.

Meredith estava a fazer a cama com a almofada e a colcha de Sam. A rapariga, Amy, estava a olhar.

— Ele disse-me que a mãe tinha morrido — disse Amy.

— Eu? Não sou mãe dele. A mãe dele morreu há muito tempo. Eu não lhe sou nada.

— Alguma coisa é — disse Amy.

— Apenas alguém que lhe quer bem.

O apartamento estava escuro, de persianas corridas, mas havia luz suficiente para permitir que se vissem uma à outra.

— Eu também — disse Amy.

Era altura de Meredith partir. Não o salvara, mas fizera tudo o que podia. Teria de viver com isso. Daniel estava no carro, à espera.

Sam estava no passeio, descalço, de cabelo desgrenhado, ao frio, vestindo apenas uma *T-shirt* e calças de ganga. Blanca estava ao lado dele, abraçada ao irmão.

— Temos de ir — disse Meredith a Blanca.

— Talvez eu não vá.

— Bom, tens de ir — disse Sam à irmã —, há monstros nesta rua à noite.

— Muito engraçado. — Contudo, Blanca olhou à volta, nervosa.

— Comem miúdas pequenas.

— Não tem piada, Sam!

Sam abraçou Blanca e viu-a entrar para o carro.

— O teu pai não teve intenção de te bater — disse Meredith.

— Eu sei. Provavelmente nunca teve intenção de nada. Foi tudo sem querer, certo?

Meredith estendeu-lhe o dinheiro que John Moody mandara para o filho.

— Ele pediu-me que te desse isto.

— Não me parece, Merrie. O Daniel emprestou-me algum dinheiro. O meu pai não me deve nada e eu não lhe devo nada. As coisas são assim. Podes devolver-lhe o dinheiro.

Pela primeira vez, Sam estava a falar como um adulto.

— Então vais ficar aqui? — perguntou Meredith. — Tens a certeza?

Sam assentiu. Quando se decidia em relação a alguma coisa, não era fácil demovê-lo. Era assim desde pequeno.

— Nesse caso, tenho de aceitar a tua decisão. — Meredith teria feito qualquer coisa para o salvar. — Quer isso me agrade ou não.

— Quais são as minhas probabilidades de sobreviver? — perguntou ele.

Meredith sabia que Sam não gostava que lhe tocassem, mas abraçou-o de qualquer maneira. Estava tão magro que ela não esperava sentir músculos, mas talvez ele fosse mais forte do que ela pensava. Não retribuiu o abraço mas também não se afastou.

— Vou ter saudades tuas — disse Meredith.

Sam riu-se.

— A pergunta não era essa. Estava a falar a sério. Qual é a tua estimativa, honestamente?

Ela deu-lhe as melhores probabilidades que podia.

— Cinquenta por cento. Provavelmente aplica-se o mesmo a todos nós.

Sam concordou, satisfeito.

— Parece-me bem. São boas probabilidades.

Não foram directamente para casa. Meredith decidiu-se enquanto iam a atravessar o Bronx. Foram até Greenwich e apanharam a primeira saída. Blanca estava a dormir no banco de trás, tão exausta que só se mexeu quando Meredith lhe abanou o ombro.

— Bee, quero que sejas minha testemunha.

Blanca esfregou os olhos. As pérolas à volta do seu pescoço eram quentes. Emitiam um leve brilho coral.

— Está bem. Testemunha de quê?

— Quando duas pessoas se casam, precisam de alguém especial ao seu lado.

— Sou eu — disse Blanca.

Bateram à porta do notário da cidade, que era também o juiz de paz. Ele desceu, pensando que morrera alguém. A mulher já estava a tirar o fato preto do roupeiro.

— Lamento muito a vossa perda — disse o juiz.

— Oh, não — Daniel estava embaraçado —, é um casamento que queremos.

Pareciam atormentados e algo desesperados, por isso o juiz de paz concordou. Chamava-se Tom Smith e já celebrara tantos casamentos que era capaz de recitar a cerimónia a dormir. Às vezes fazia-o, e a mulher ficava deitada na cama a ouvi-lo, ao longo de toda a cerimónia, confortada por haver alguém que sabia de cor as palavras do amor.

Depois da cerimónia foram festejar os três num restaurante que servia pequenos-almoços vinte e quatro horas por dia. Blanca telefonou para casa, para pedir desculpa ao pai e a Cynthia por estar atrasada, para lhes dizer que já não demorava.

— A festa ainda não acabou. — Blanca estava quase a dormir, exausta do dia, mas encantada por ter sido testemunha. — Tenho deveres e responsabilidades especiais? — perguntou a Daniel e Meredith quando foram pagar.

— Não. Tudo o que uma testemunha tem de fazer é estar presente e lembrar-se.

— Muito bem — disse Blanca —, assim farei.

147

Saíram para o ar do princípio da noite. Ia chover mais tarde; conseguiam senti-lo. Já havia gotas de humidade nas folhas e no asfalto. Mas isso era mais tarde; neste momento o céu estava limpo e interminável. Apesar de estar excitada e de ter jurado a si própria permanecer acordada a noite toda, Blanca adormeceu no carro assim que recomeçaram a viagem. Sonhou com ostras e pérolas. Sonhou com homens que conseguiam voar. Sonhou que estava a percorrer um caminho com uma mulher que não conhecia e que tinha algo importante para lhe dizer, mas não falava a sua língua. Quando chegaram a casa, a festa de aniversário de casamento estava a terminar. Era tarde. Alguns dos convidados tinham decidido saltar para a piscina, meio embriagados e completamente vestidos.

— Acorda — ouviu Blanca.

Quando abriu os olhos, não fazia ideia onde estava.

PARTE 3

O MAPA VERMELHO

E la vivia numa casa em Londres cheia de escaravelhos e de livros. No primeiro andar vivia um crítico do *Guardian*, no terceiro um professor de História, e Blanca, a proprietária de uma livraria, estava ensanduíchada entre eles. Fazia sentido que uma rapariga que crescera numa casa chamada Sapato de Cristal gostasse de contos de fadas; a sua tese de mestrado na universidade intitulara-se «Os Perdidos e os Encontrados», um estudo sobre aqueles que conseguiam encontrar o caminho para sair do bosque e aqueles que nunca mais eram vistos, quer tivessem sido apanhados por espinheiros, ou acorrentados, ou cozinhados numa sopa de carne e ossos.

A biblioteca pessoal de Blanca estava arrumada em caixas de cartão, numa marquise sem aquecimento, voltada para um pequeno jardim no qual crescia uma tília. O seu apartamento era perfeito — arejado, com divisões grandes e agradáveis — mas Blanca sentia-se sempre inquieta. Fora uma menina boa, séria e responsável, que se transformara numa jovem menos boa, mas ainda responsável. Blanca acreditava em muito pouca coisa, para além da crueldade garantida do destino. Fora esse o tema da sua tese. Perdidos ou encontrados, não havia como evitar o desgosto. O vidro estilhaçava-se, os ossos partiam-se, as maçãs apodreciam.

Blanca julgou ter encontrado o significante do seu próprio azar quando os insectos chegaram em massa, uma infestação de escaravelhos devoradores de papel, *Paperii taxemi*. Todos os apartamentos tinham de ser fumigados; Blanca, o crítico literário e o professor de História sentaram-se debaixo da tília, a tremer no ar fresco da Primavera, e discutiram os restaurantes locais até poderem voltar para os seus apartamentos, agora cáusticos. Foi nesse dia que Blanca recebeu a notícia de que o pai morrera; o telefone tocou precisamente quando ela estava a descobrir pequenas bolas pretas e prateadas de matéria morta a caírem dos seus livros, como se as palavras se tivessem descolado das páginas.

Blanca era o tipo de menina que andava sempre com um livro, mas só no ano em que o irmão morrera, no seu primeiro semestre no estrangeiro, se tornara uma leitora a sério. Começara na tarde em que Meredith lhe telefonara para dar a terrível notícia; agora, cinco anos mais tarde, ainda não parara de ler. Nunca mais voltara aos Estados Unidos, tirando mais um ano para terminar o seu curso no Reino Unido. Naturalmente que também tinha um livro nas mãos quando Meredith ligou desta vez — uma primeira edição de *Red Fairy Book*, de Andrew Lang, que encontrara há pouco tempo num caixote de bugigangas de uma venda de igreja, manchado pela água mas ainda em bom estado. Claro que só podia ser a ama da infância de Blanca a telefonar novamente com a má notícia, e não alguém da família. Não que ainda houvesse alguém, na verdade. John Moody morrera no pátio da sua casa. Pedira a Cynthia se podia ir buscar-lhe um copo de água; quando ela voltara, ele tinha a cabeça curvada. Era como se estivesse a rezar, confidenciara Cynthia a Meredith, que agora transmitia a história a Blanca. Como se, nos seus últimos momentos, John tivesse visto algo que o enchera de emoção, um anjo, talvez, ali mesmo na relva, mostrando-lhe o caminho para o estado de graça.

O relvado estava coberto de rolas-carpideiras, informara Cynthia, oito ou dez ou doze. Andavam sempre aos pares, tão silenciosas que uma pessoa podia nem as ver até elas arrulharem. Cynthia entendeu este bando de rolas como uma visita do outro lado. Depois de os agentes funerários terem ido buscar o corpo de John, Cynthia espalhara um pouco de alpista, mas as rolas não tinham voltado.

— Como se um anjo alguma vez visitasse o meu pai — disse Blanca, quando Meredith lhe transmitiu a interpretação de Cynthia sobre a morte de John Moody. — Ele não reconheceria um anjo mesmo que lhe aparecesse à frente e lhe desse uma palmadinha no ombro.

Até ao fim, John Moody permanecera um homem distante e calado. Nunca viera visitar Blanca, em todo o tempo que ela vivera em Londres; só telefonava no Natal e no aniversário dela. Na verdade, era sempre Cynthia que ligava e que depois passava o telefone a John, no fim da conversa, para alguns instantes embaraçosos. Ele e Blanca não tinham nada sobre o que falar. O tempo. As notícias. Parecia perigoso falar sobre qualquer coisa verdadeiramente importante. Blanca não se lembrava da última vez em que tinham estado de acordo relativamente a algo.

— Não foi um anjo que ele viu — disse Meredith —, foi ela.

A ligação não estava muito boa e Blanca pensou ter ouvido mal. Adorava Meredith Weiss e contava com ela para ser fiável e firme em alturas em que os outros não o eram. Meredith tinha agora quatro filhos, que a visitaram em Londres na última Páscoa. Blanca adorava-os a todos, em especial os dois mais velhos, Amelia e Ellis, de quem cuidara muitas vezes durante os dois anos que passara na Universidade da Virgínia. Candidatara-se para lá porque o marido de Meredith, Daniel, dava aulas no Departamento de Física. Seguira-os, ansiando por uma família, mesmo que fosse a fingir. Nessa altura, a avó de Blanca, Diana, já tinha morrido, e ela sentia-se verdadeiramente órfã. Alguns dos seus amigos da universidade pensavam que Meredith era a sua mãe e, por mais que Blanca quisesse dizer, *Não, ela era a nossa ama, a nossa amiga, nada mais*, nunca lhes disse que estavam enganados.

Da sua própria mãe, Blanca não se lembrava de quase nada. Tinha apenas as histórias que o irmão lhe contara para a lembrar de que tivera uma mãe e, claro, as pérolas que usava todos os dias; Blanca recusava-se a tirar o colar, mesmo no banho. Era o seu talismã, supunha, um sinal de que alguém a amara, em tempos.

— Duvido que o meu pai tenha visto algo mais miraculoso do que o jardineiro, um ramo partido ou uma árvore. E não é perfeito que a minha madrasta te tenha ligado a ti antes de me ligar a mim? Que família tão chegada.

— A Cynthia estava demasiado confusa para fazer um telefonema intercontinental. Sabes como ela é. Eu ofereci-me para o fazer.

— Não é só o telefonema. Eu não faço parte da família.

— Vem ao funeral. Eu vou contigo.

— Tenho muito que fazer aqui.

Havia os livros cheios de escaravelhos mortos para arrumar, afinal de contas, e a tília, verdejante no jardim depois de toda a chuva que caíra nesta estação, a precisar de ser podada, e o facto de ela estar falida e provavelmente não ter dinheiro suficiente para um bilhete de avião. Mil razões para não ir, e quantas razões havia para ir?

— Quando aconteceu, a Cynthia e o teu pai iam tomar o pequeno-almoço no pátio. Ela entrou para lhe ir buscar um copo de água e quando voltou a sair ele estava morto. Os pratos estavam todos partidos ao meio. As rolas estavam no relvado.

— Então ele teve uma convulsão e partiu os pratos. Depois as rolas vieram comer as migalhas. Isso não significa que um anjo radiante lhe apareceu e que tudo foi perdoado.

— Eu deixo os meus filhos e apanho um avião para me encontrar contigo no Connecticut. Não precisas de ficar lá em casa. Posso reservar quartos para nós na Eagle Inn. Podes trazer o teu namorado.

Meredith referia-se a James Bayliss, o homem com quem Blanca recusara a casar-se apesar de o achar consistentemente interessante. Contratara James para instalar as estantes na sua pequena loja, um empreendimento que começara com a pequena herança que a avó, Diana, lhe deixara. Blanca sentira-se atraída por James, não só por ele ser alto com cabelo escuro, mas também porque tinha a capacidade de fazer coisas reais, coisas que importavam, tarefas vulgares como levantar caixas e pisar os insectos roliços que saíam das tábuas do soalho. Blanca apaixonara-se por James quando ele fizera uma armadilha com uma caixa de sapatos, cordel e queijo cor-de-laranja para apanhar os ratos que corriam de um lado para o outro. Nem sequer os matou, limitando-se a levá-los para o jardim.

Mas o factor decisivo acontecera uma manhã, quando Blanca o viu na rua, a caminho da loja. James encontrara dois adolescentes envolvidos numa discussão terrível. *Larguem-se já um ao outro, merda*, ouvira-o gritar, enquanto segurava no rapaz maior. Não tinha medo de lidar com questões reais e desagradáveis; se alguma vez tropeçasse numa sebe de espinhos, era óbvio que a despedaçaria e transformaria em lenha.

Ao longo de todo o dia, Blanca esperou que James dissesse algo sobre a discussão que interrompera, mas ele não abriu a boca. Modéstia e discrição, esse era o derradeiro encanto. Blanca estava perdida, louca de paixão; a sua única salvação seria ele acabar as estantes, receber o cheque e desaparecer. Mas James Bayliss demorou tanto tempo com o trabalho na loja de Blanca que parecia que iriam ambos à falência se ela não fosse para a cama com ele. *Está bem?*, dissera ela depois. Estavam deitados na cama dela. O aroma da casca da tília entrava pelas janelas abertas. *Agora já estamos despachados. Podes ir para casa.*

James recusara-se a partir. Arranjara uma data de desculpas: o seu apartamento estava a ser pintado, o irmão fora morar com ele, tinha torcido um tornozelo. Pouco depois estava a viver no apartamento de Blanca, preparado para lá construir algumas estantes. Blanca nunca imaginara regressar a casa, mas, se tivesse de voltar aos Estados Unidos, certamente que não tencionava levar James.

— Não quero o James no mundo do meu passado — disse Blanca a Meredith ao telefone. — Ele nunca terá de pôr os pés no Connecticut.

— Achas que os mundos estão divididos? Como os níveis do Inferno?

— Tenho a certeza que sim. Além disso, tenho um negócio para gerir.

Disparates, na verdade. A loja de Blanca, Felizes Para Sempre, vendia apenas contos de fadas; todo o empreendimento era um trabalho de amor, sem quaisquer lucros até ao momento e apenas uma reduzida possibilidade de vir a tê-los no futuro. James construíra há pouco tempo duas pequenas mesas para crianças e colocara cadeiras para os miúdos do bairro que se tinham tornado clientes habituais, a maioria dos quais lia as histórias preferidas na loja em vez de comprar fosse o que fosse. Blanca teria de vender mil volumes dos livros de contos de Andrew Lang, de *Red* a *Olive* a *Pink*, para conseguir pelo menos cobrir as despesas.

— Não te arrependes de não ter vindo ao funeral do Sam? — perguntou Meredith.

— Nem por um minuto. Não era o que o Sam queria. Era o que o meu pai e a Cynthia queriam.

— Podes vir na terça-feira. O funeral é na quarta-feira de manhã. Fecha a loja. Eu trato das reservas. Se vieres, digo-te o que o teu pai viu no relvado.

Blanca riu-se.

— Como poderias saber? Não estavas lá. — Mas Meredith já desligara e havia apenas estática na linha, os leves estalidos chuvosos de uma ligação cortada, sem ninguém do outro lado.

Blanca coleccionava livros que encontrava no lixo, em bazares e em vendas de igreja, da mesma forma que outras pessoas salvavam órfãos. Tinha uma pilha de livros ao lado da banheira para poder ler no banho, embora as orlas das páginas ganhassem bolor. Lia em comboios e autocarros, o que muitas vezes fazia com que chegasse atrasada, pois estava constantemente a deixar passar a sua paragem. Não era capaz de se sentar num restaurante sem um livro nas mãos e, às vezes, ficava tão absorta na leitura que se esquecia completamente da costeleta, da massa ou da pessoa com quem estava a jantar. Uma boa amiga, uma querida amiga, Jessamyn Banks, que fora colega de quarto de Blanca naquele semestre horrível em que Sam morrera, sugerira com gentileza que talvez Blanca estivesse a criar uma protecção entre o mundo real e o mundo imaginado. Em resposta, Blanca rira-se, algo que os seus amigos raramente ouviam.

— Bom, isso seria óptimo. Não imagino nada que me agradasse mais.

Para Blanca, os mundos estavam de facto divididos. O antes e o depois, a escuridão e a luz, o real e o imaginário, o mundo dos livros e a história pessoal de Blanca, os perdidos, claro, e os encontrados. A atracção dos contos de fadas era o facto de as fronteiras serem tão distintas nessas histórias — os países estavam divididos em reinos, os reinos em castelos, os castelos em torres e cozinhas. Os contos de fadas eram mapas feitos de sangue, cabelo e ossos; eram nós do subconsciente desfeitos. Cada palavra de cada conto era tão real e verdadeira como maçãs e pedras. Todas levavam à história dentro da história.

154

O conto de fadas que Blanca estava a ler na noite da morte de Sam era «Hans, o Ouriço-Cacheiro». Nos contos de fadas havia crianças mal amadas por todo o lado; algumas sobreviviam, outras não. Hans era uma criatura infeliz, escondido atrás do fogão porque o pai não suportava ver o filho. Hans não era aquilo que o pai quisera e, portanto, ele ignorava-o, esquecendo a sua desilusão, tal como John Moody esquecera a dele. O pobre Sam nunca fizera nada bem feito aos olhos do pai. Se ele tivesse tido bigodes e uma cauda, não teria sido diferente, nem melhor, nem pior.

Quando Sam morreu, Blanca não via o irmão há anos; apesar disso, o mundo sem Sam era tão irreal, tão impossível. Poderia ter havido um erro? Blanca sabia que era possível que uma pessoa que se julgara perdida saísse do bosque, com a roupa coberta de espinhos. No entanto, no caso de Sam, o bosque era omnipresente; os espinhos estavam cravados demasiado fundo. Havia uma montanha de pedras, demasiado alta para escalar, demasiadas maçãs podres, demasiado amargas para comer. Ele nunca encontrara o seu caminho.

Apesar disso, Sam deixara um rasto — os quadros de Ícaro, *graffiti* assinados com a imagem de um homem alado, obras de arte em giz e tinta que se podiam encontrar por toda a cidade de Nova Iorque. No entanto, ninguém conseguia encontrar o próprio Sam. Ele perdera-se num sítio onde mais ninguém conseguia chegar, um caminho sinuoso que se estendia pelo ar.

Às vezes telefonava a Meredith para pedir dinheiro, que ela enviava para um apartado na baixa de Manhattan. Dormia nos apartamentos de amigos, aparecendo em Bridgeport ou em New Haven ou no Lower East Side e, quando esse esquema deixou de funcionar, viveu nas ruas. Tinha ido visitar a sua ex-namorada Amy, a Chelsea, e estava no telhado a fumar quando o papagaio, *Connie*, o seu animal de estimação de há tanto tempo, resolvera de súbito levantar voo. Normalmente, o pássaro ficava no ombro de Sam, mas talvez o vento estivesse demasiado forte, ou o horizonte demasiado convidativo. Sam perseguiu-o, com medo de que o papagaio, desabituado de voar, se erguesse apenas um instante e depois se despenhasse sobre o passeio lá em baixo.

Em vez disso, foi Sam que se despenhou.

Amy transmitira-lhes os desejos de Sam, de ser cremado e de que as suas cinzas fossem espalhadas por Manhattan, mas John

Moody não quis sequer ouvir falar nisso. Decidiu enterrar Sam ao lado da mãe. Espalhar as cinzas de alguém sobre uma zona urbana era contra a lei; John Moody era bem versado em estatutos, regras e regulamentos. Por mais que Amy implorasse, não tinha qualquer direito legal. Ela e Sam nunca se tinham casado. O pai era o familiar mais próximo.

— Faça a merda que quiser — dissera Amy ao telefone. Ela e John Moody nunca se tinham conhecido pessoalmente. — Faça um bolo e apague uma vela e deseje que ele nunca tivesse existido. Nem sequer sabia quem ele era.

O que desejara John Moody para Sam? Certamente que gostaria de ter tido um filho diferente, não um rapaz feito de espinhos de ouriço-cacheiro e de pesadelos e de ossos descolorados. Havia alturas em que John desejava mesmo que Sam se enrolasse atrás do fogão, para poder pegar-lhe pelo rabo, varrê-lo para o lixo e esquecê-lo. Amy tinha razão. Ele desejara muitas vezes que Sam desaparecesse, na verdade, que se esfumasse no ar, partindo das suas vidas sem confusões nem complicações. Apesar disso, foi John Moody, o familiar mais próximo, que conduziu até Manhattan para identificar um corpo que tinha o rosto e as impressões digitais do seu filho, quer conhecesse verdadeiramente Sam ou não.

Como o pai não respeitou os desejos de Sam, e nunca os respeitara, Blanca ficou em Londres e não foi ao funeral. Nunca mais ia voltar para casa. Nunca mais. Decidira-o sentada de pernas cruzadas em cima da cama, na residência universitária, a chorar enquanto lia «Hans, o Ouriço-Cacheiro». E de certeza que não ia vê-los enfiarem Sam debaixo da terra. Pensou para si própria: *Se pelo menos ele tivesse voado*. Neste momento estaria no ar, onde era o seu lugar.

Blanca fez a sua própria cerimónia nas margens do rio Tamisa. Escreveu o nome do irmão num pequeno pedaço de papel e atou-o a uma pedra com uma fita de cetim preta. Arremessou-a com tanta força quanto conseguiu e a pedra caiu com um chape, afundando-se nas águas. Não pensara que uma coisa tão pequena pudesse fazer tanto barulho. Tinha alguma esperança que Sam se erguesse do rio depois de ela atirar o seu nome, um Sam molhado e empapado, invocado por palavras e marés, manchado de tinta, rematerializado nas margens lamacentas tão longe de casa. Depois dessa cerimónia, sempre que caminhava pela cidade, Blanca olhava com atenção para os sem-abrigo com sobretudos escuros, como aquele que Sam usava em Nova Iorque no Inverno, gasto, cinzento, com as mangas e a bainha a desfiarem-se. Dava por si atraída por bairros que geralmente evitava, sítios turbulentos perto das docas, à procura de um homem que lhe fizesse lembrar o irmão.

Dia após dia, procurava o irmão, no jardim, na estrada, nos seus sonhos. Mas Sam partira. Com o tempo, Blanca deixou de conseguir visualizar o rosto dele. Apenas o casaco cinzento, os seus *graffiti*, a forma como ele lhe murmurara, da última vez que o vira e lhe perguntara como estava: *Tu não queres saber.*

Blanca soubera por Meredith que a cerimónia no Connecticut consistira de algumas palavras ditas à beira da campa por um padre que ninguém da família conhecia. Amy, a namorada de Sam de tantos anos, não esteve presente. Blanca imaginava que Sam, se pudesse, teria saltado do caixão e escorraçado o padre, atirando-lhe cuspo e torrões de terra. Sam sempre gostara de um bom susto. Era um conhecedor do lado selvagem, da noite de espíritos transtornados, da *overdose*, da curva errada, do espectador inocente assustado; era um crente na arte pela arte, na dor pela realidade pura e completa da sensação, e sempre tivera um fraquinho pelos feridos, os ensanguentados, os etéreos, os órfãos, os mortos, os perdidos.

Queimem-me, teria ele dito. *Libertem-me. Deixem-me cair do edifício mais alto, da árvore mais distante.*

— Fala-me sobre o teu irmão — perguntara James um dia, ao encontrar uma fotografia de Sam na secretária dela, Sam com o seu casaco cinzento puído e o cabelo escuro espetado, mas Blanca recusara-se. Era a única fotografia que tinha dele, dos dois juntos: Sam com dezassete anos e ela com onze, um instantâneo tirado por Meredith num dos seus passeios à praia, pouco antes de Sam se mudar para Nova Iorque. Estava vento e eles tinham o cabelo na cara, os olhos semicerrados e grandes sorrisos, como se tudo fosse perfeito. E talvez fosse, nesse dia na praia, um irmão e uma irmã tão apanhados pelo vento que era espantoso que não levantassem voo.

Quando Blanca pensava no irmão, recordava-se quase sempre dele de pé no telhado da casa, de braços abertos. Assustador e destemido. Uma cegonha, um estranho, um homem desesperado por fugir. Como podia alguma vez explicar isso a James? *E se o vento crescesse de intensidade e o levasse?* costumava ela pensar. *E se ele escorregasse?*

Quando era pequena, quase acreditara que Sam era capaz de se erguer acima do telhado, como na história que ele lhe contava sobre uma raça secreta de pessoas no Connecticut que esperavam pelo momento mais desesperado — o navio a afundar-se, o edifício em chamas — para revelarem a sua capacidade de voar. Asas escuras, asas cinzentas, nuvens e ar. Quem era o seu irmão, essa estranha criatura que se empoleirava em cima de vidro e nunca tinha medo das coisas que aterrorizavam a maior parte das pessoas? Blanca pensara que talvez Sam tivesse ossos ocos, como os pássaros, e filas de penas negras de corvo ao longo da espinha.

Uma noite, quando Blanca tinha seis ou sete anos e Sam estava pedrado, levara-a para o telhado com ele. Fora antes de Meredith ter ido viver com eles, quando ainda podiam fazer praticamente tudo o que lhes apetecesse. A aventura parecera divertida até estarem mesmo lá em cima. Nessa altura, Blanca sentira o pânico invadir-lhe o peito.

Não escorregues, senão ainda te matas, dissera-lhe Sam.

Blanca fizera um esforço para se acalmar e, depois de o conseguir, sentira uma alegria estranha, entontecedora. Nesse momento compreendeu por que motivo as pessoas às vezes saltavam das alturas; não queriam necessariamente esmagar-se no betão lá em baixo, mas sim voar, desaparecer, talvez encontrar o mundo seguinte, aquele que não conseguiam ver completamente.

Nunca contou ao pai ou à madrasta, ou mesmo a Meredith, que estivera no telhado com o irmão. Nunca falou de metade das coisas que Sam lhe dizia ou que vira quando estava com ele. As vezes em que ia com ele de autocarro até Bridgeport e esperava no terminal enquanto ele ia comprar droga. Até onde tinham nadado no mar uma vez, quando Cynthia estava demasiado ocupada com as amigas, na praia, para reparar que eles estavam muito longe da costa; boiavam sem ninguém reparar neles, entre as rochas e as focas.

O que queres fazer, Ervilha? Queres voltar para o Connecticut ou ficar aqui mesmo?

Connecticut, respondia sempre Blanca, e ria-se da desilusão no rosto de Sam quando ela decidia que não queria que se afogassem.

Sam era assustador, mas valia a pena. Quando eram pequenos, não havia ninguém com quem Blanca preferisse estar, por mais aterrorizador que o comportamento dele pudesse ser. Os bons tempos que tiveram juntos foram empolgantes — roubar chocolates no supermercado, saltar da esplanada da gelataria para a relva macia lá em baixo — mas Blanca lembrava-se também das outras alturas. As noites em que o ouvia chorar. Primeiro, pensara que fosse o vento ou um animal qualquer. Uma coisa selvagem, aprisionada atrás de vidro, ferida e desesperada. O que quer que estava dentro do quarto dele, fosse qual fosse esse som, era desumano, ou talvez demasiado humano. Partia-lhe o coração.

Embora ela sempre tivesse adorado livros, as histórias mais fascinantes da infância de Blanca eram as que ouvia quando ia ao quarto de Sam, por mais aterrorizadoras que pudessem ser. Eram histórias de se espetar a si próprio com alfinetes, para ver se conseguia aprender a controlar a dor, e histórias sobre as probabilidades estatísticas de o sol se extinguir e morrerem todos de frio; havia sagas que eram, na realidade, sonhos causados pelo haxixe e pela cocaína, longas, confusas, poéticas e desesperadas. Mas as melhores histórias eram sobre a mãe, como o cabelo dela era vermelho como o sangue, como tinha setenta e quatro sardas no rosto, como era filha de um capitão de *ferryboat* que acreditava que as pessoas podiam voar.

E depois, um dia, Sam parou de contar histórias. Foi depois de Meredith ter vindo viver com eles, depois de o problema das drogas se agravar e de ele ter sido obrigado a ir para a desintoxicação. Quando ele regressou do hospital, Blanca estava sempre a implorar-lhe que contasse histórias.

Fala-me sobre a possibilidade de uma nova Idade do Gelo em que vamos todos morrer congelados. Fala-me dos pássaros que conseguem percorrer dez mil quilómetros e encontrar o caminho para um sítio onde nunca estiveram antes. Conta-me como a nossa mãe conseguia falar com os esquilos na língua deles.

Não compreendes?, dissera-lhe Sam então, o seu irmão em tempos destemido, agora destroçado e vazio. *Já só tenho uma história.*

A história era a heroína. Era feita de sensações, não de palavras; era invisível, assassina e imparável. Sam desapareceu lentamente, como um boneco de neve a derreter, até que tudo o que Blanca tinha dele era uma poça de água azul e gelada, gelada como o Árcti-co, cor de mágoa, que se evaporava um pouco mais de ano para ano. Fez tudo o que podia para se agarrar a ele, mas era impossível, tal como levar gelo para o deserto ou fazer o tempo parar. Depois da discussão final, quando Sam saiu de casa, Blanca começou a vê--lo cada vez menos. Ele já não tinha uma presença; era como o contorno de uma pessoa, uma ausência, em vez de um ser humano completo.

O pai recusava-se a falar sobre Sam e, pouco depois, nasceu o novo bebé, a nova menina de Cynthia e John. Devia ter sido uma época mais calma na vida de Blanca mas, quanto mais feliz John Moody parecia com a mulher e a nova filha, mais zangada Blanca se tornava. Assim que atingiu a adolescência, desapareceu a menina boazinha e doce que sempre fora. A doçura era para bebés, como a sua irmãzinha, Lisa. A bondade era para os falsos e os infantis. Esses dias tinham chegado ao fim, para Blanca. O que tinha agora dentro de si era algo venenoso e verde, logo abaixo da superfície, por baixo da pele.

Tinha saudades de Meredith, embora muitas vezes, quando lhe telefonava durante as suas piores fases de discussões com Cynthia e o pai, nem conseguisse colocar o seu desespero em palavras. Simplesmente ligava a Merrie e chorava.

— Eu também tenho saudades tuas — dizia Meredith —, e tenho saudades dele.

Eram os pensamentos em relação a Sam que lançavam Blanca no desespero. Não conseguia olhar para o pai sem pensar em Sam. *Como te atreves a esquecê-lo? Como te atreves a continuar com a tua vida? Como te atreves a pensar que a felicidade tem algum significado?* Durante um jantar de Acção de Graças, quando o nome de Sam nem sequer foi mencionado, quando pareciam todos tão alegres, gratos e egoístas, Blanca acusou o pai de ter levado Sam a sair de casa. Cynthia chamara-a à parte.

— O teu pai fez tudo por aquele rapaz — disse Cynthia.

— Como, por exemplo? — Blanca estava a ler à mesa. *We Have Always Lived in the Castle*. Blanca preferia sempre o papel à carne, a tinta ao sangue.

— Ouve, querida, há muita coisa que tu não sabes — disse-lhe Cynthia. — Muita coisa.

Lisa, a meia-irmã de Blanca, era na altura pouco mais do que um bebé, uma menina alegre e rechonchuda sentada à mesa de jantar, a brincar com o puré de batata. Blanca desejou poder fazer Lisa desaparecer e Sam reaparecer no lugar dela. Ele sempre odiara o dia de Acção de Graças. Um feriado imperialista da treta. *Este peru morreu pelos nossos pecados*, teria ele dito ao pai e a Cynthia. *Pelos vossos pecados, por aquilo que me fizeram.*

— Como o facto de tu seres uma filha da mãe e estares feliz por o Sam ter desaparecido e não poder causar mais problemas?

Cynthia esbofeteara-a e, assim que o fez, Blanca percebeu que era exactamente isso que queria. Agora podia odiar a madrasta. Agora tinha todo o direito de a odiar.

— Não sei o que me passou pela cabeça — dissera Cynthia, chocada com as suas próprias acções. — Eu não sou assim.

— Oh, és, sim. — Blanca sentia as faces a arder. Havia qualquer coisa de muito satisfatório em ver Cynthia aflita. Blanca era agora mais alta do que ela. Não tinha qualquer ligação a Cynthia, nenhuma razão para a desculpar. Sam sempre dissera que, se não estivessem vigilantes, Cynthia iria atrás deles com facas. *Oinc oinc*, dizia ele. Blanca tivera pânico de facas durante anos. *É assim que ela nos vê, miúda*, dizia Sam a Blanca. *Porcos no chiqueiro dela.*

— Tu sabes o que as drogas lhe fizeram — disse Cynthia. — O teu irmão lutou contra tudo o que tentámos fazer por ele e tu sabe-lo. O que eu fiz foi errado.

Cynthia já não era jovem e nunca tinha sido bonita. Não como Sam dizia que a mãe deles fora, com o seu cabelo vermelho, cor de sangue. Estava fora de questão Blanca voltar para o jantar de Acção de Graças. Conseguia vê-los pela porta; o pai estava a limpar o puré de batata dos dedos de Lisa. Blanca sentiu-se fisicamente enjoada. Sentiu-se etérea, má, poderosa e órfã.

— Porque não dizes a verdade? — perguntou a Cynthia. A sua voz não parecia a mesma. Era todo aquele veneno dentro dela, todos os anos em que não dissera nada, em que fora uma menina tão bem comportada. — Nunca quiseste nenhum de nós. Terias sido mais feliz se o meu pai não tivesse filhos quando o conheceste. Provavelmente, nem esperaste que a minha mãe morresse. Aposto que tu e o meu pai já dormiam juntos quando ela estava a lutar para dar o último suspiro.

— Foi o Sam que te disse isso? Porque a história não é bem assim. Nós esperámos. Portámo-nos bem com a Arlyn, independentemente de tudo o resto que acontecera nesta casa.

— É um pouco tarde para me contares histórias. Podem ir todos para o diabo.

Blanca saiu de casa e bateu com a porta. Apanhou o comboio para Manhattan e telefonou a Sam de uma cabina, a chorar. Ele ainda vivia com Amy nessa altura, ainda estava contactável. Afinal de contas, era uma noite festiva, por mais imperialista que fosse, e ela tinha saudades do irmão. Tinha treze anos. Alta, com uma beleza adulta, mas uma criança, apesar de tudo. O barulho e as multidões de Nova Iorque assustavam Blanca.

— Não quero sair na noite de Acção de Graças. Matam perus e tiram-lhes os intestinos enquanto eles ainda estão a bater as asas. É isso que querem que eu festeje? Não me obrigues a fazer isso — disse-lhe Sam ao telefone. Ele e Amy já não estavam a dar-se bem, e Sam disse a Blanca que tinha de fingir que gostava da época de festas para que Amy não o pusesse outra vez na rua. Parecia pedrado. Estava a pensar demasiado depressa e a falar demasiado devagar.

— Preciso de ti — insistiu Blanca.

— Estás a cometer um grande erro ao recorreres a mim.

— És tudo o que tenho — disse Blanca. — Não há mais ninguém.

— Fica onde estás. E não esperes que eu coma peru.

Ele atrasou-se, claro, mas acabou por aparecer. Foi ter com ela a um café em frente à estação de comboios, com o cabelo sujo e aquele sobretudo cinzento imundo de que parecia gostar tanto, que o fazia parecer o tipo de pessoa ao lado de quem ninguém gostaria de se sentar. Enquanto Blanca lhe contava como as coisas estavam horríveis em casa, Sam brincou com os talheres, picando as pontas dos dedos com o garfo. Tinha as pupilas tão grandes que os olhos pareciam completamente pretos. Como um poço para o qual se atira uma pedra que nunca mais é vista, como a água lá em baixo, escura e tão parada. Até Blanca conseguia ver que ele estava pedrado com heroína. Começou a coçar a cara e não se apercebeu de que estava a sangrar. Pequenas gotas de sangue caíram sobre a mesa de plástico e ele não deu por nada.

Chorar é o que eles querem que tu faças, disse-lhe Sam nesse dia. *As lágrimas deixam uma marca permanente. Se chorares, pessoas como o pai podem encontrar-te sempre que quiserem. Nunca conseguirás esconder-te. Não percebes?*

Blanca sentira tanto a falta dele que era quase insuportável. Não compreendia o que ele estava a dizer; de qualquer maneira, fez um esforço para parar de chorar. Ele tinha razão em relação a uma coisa: era um estúpido desperdício de tempo. Sam pediu uma torrada e café simples. Riu-se e disse que estava de dieta, apesar de ser apenas pele e osso. Tinha abcessos nas mãos e nos braços. *Olha, Ervilha*, murmurou a Blanca. Abriu o casaco e ali estava *Connie*, o papagaio, a dormitar no bolso de dentro. *Não são permitidos animais*, disse Sam.

Acariciou as penas verdes do papagaio e falou com ele numa linguagem gutural e absurda que disse ser «passarês», palavras que Blanca nunca conseguiria decifrar. Ele estava calado, paranóico e agressivo ao mesmo tempo. Havia coisas neste mundo que não podia esperar que Blanca compreendesse; coisas que não podia dizer--lhe.

Um dia perceberás, disse-lhe ele. *Vai tudo dar ao mesmo. Aquela merda toda da matemática? Um monte de tretas. Eles querem que tu penses que as coisas fazem sentido se as decompuseres, mas não fazem.*

Sam ficou apenas vinte minutos. Amy esperava por ele em casa e estava a ficar farta das suas palhaçadas. *Ela acha que eu sou instável*, disse Sam, e tanto ele como Blanca se riram. *Instável* fora uma das palavras de vocabulário que estudara este período e Blanca sabia muito bem o seu significado. Sam estava com tanta pressa que não deu sequer uma dentada na torrada. Blanca tinha uma sanduíche quente de peru à sua frente, mas não conseguiu comer. Talvez Sam tivesse razão. Talvez aquele peru tivesse morrido pelos pecados dela. Pecado de omissão, pecado de inveja, pecado de meninas que não eram tão doces quanto pareciam.

Quando Sam saiu, Blanca percebeu que estava a morrer de frio. Saíra de casa sem se lembrar de levar o casaco quente e vestia apenas uma camisola grossa. Mal podia esperar para sair de Nova Iorque. Blanca pagou a conta e apanhou o comboio de volta ao Connecticut. Quando chegou a Madison, sentou-se num banco na estação até ser quase meia-noite. Depois caminhou até casa, percorrendo lentamente o caminho. Carvalho, lilás, sombra, relvado. Havia geada na relva e, agora, ela ia a tremer; apesar disso, esperou no pátio até todas as luzes da casa se apagarem, até poder entrar pela porta das traseiras e ir para a cama sem ter de ver ninguém.

Depois disso viu Sam cada vez menos frequentemente, e era cada vez mais difícil. Cynthia tinha razão em relação às drogas; apoderaram-se dele, pareciam ser tudo o que lhe interessava. Tinha um mau génio terrível. Arranjava discussões com as pessoas; foi preso por causar distúrbios na via pública e por danificar propriedade pública. Aquilo que sempre estivera no seu interior, saltara agora para o exterior, nas pinturas de homens alados que deixava por toda a baixa de Manhattan. Homens com grandes asas a caírem no inferno, a arderem, a transformarem-se em cinzas. Chamavam-lhe Ícaro e ele assinava os seus *graffiti* com um *V*, a forma de um pássaro num desenho de criança.

E depois, quando Blanca tinha catorze anos, Sam desapareceu de vez. Ela foi ao apartamento que ele partilhara com Amy e ambos tinham desaparecido. O senhorio deixou-a entrar e o local estava um pavor — tinham deixado uma grande gaiola no meio da sala, uma porcaria fétida e imunda, cheia de jornais rasgados que saíam por entre as grades. Havia colchões no chão e seringas usadas na casa de banho e pedaços de comida podre em todo o lado. Mas as paredes eram brilhantes, cobertas com pinturas de Ícaro, vivas com cor. Durante anos, depois disso, Blanca percorreu a baixa de Manhattan, à procura; mentia ao pai e à madrasta e apanhava o comboio à primeira oportunidade, desesperada por encontrar pinturas de Ícaro, sinal de que Sam ainda estava vivo. De vez em quando via as suas obras de arte, geralmente numa camada de tinta na parede de um restaurante ou na parte lateral de um autocarro. Apesar disso, os desenhos de Ícaro eram reconhecíveis através da tinta, com os seus temas agora familiares: na visão dele, aqueles homens do Connecticut que se dizia serem capazes de voar para longe, não conseguiam fugir; estavam todos presos numa teia de horror.

Uma vez, Blanca deixou a sua própria missiva, num beco perto de Canal Street onde encontrara a imagem de um homem envolto em espinhos. Não conseguia ver a assinatura *V*, mas achava que a pintura era de Ícaro. Tinha de ser. A expressão de êxtase no rosto do homem: a camada de giz escarlate sobre a tinta. Blanca tirou um marcador grosso da mochila e escreveu o seu nome e número de telefone na parede. Durante meses, receberam telefonemas loucos em casa. Mensagens desagradáveis e porcas, mas nenhuma delas de Sam. Ele nunca teria feito isso se telefonasse. Teria dito: *Não escorregues, não corras riscos, não te rales comigo, deixa-me arder, irmãzinha; deixa-me cair.*

Talvez outra pessoa se tivesse voltado para a pouca família que tinha, optado por fazer amizade com a pequena irmã que estava ali, em vez de continuar aliada ao irmão que desaparecera. Mas não Blanca. Blanca tinha partido. Mesmo quando estava em casa, não estava lá. Passava os fins-de-semana em casa de amigas, os verões como monitora em vários campos de férias, visitava Meredith nas férias da escola, inscreveu-se no *ballet*, no futebol, no jornal da escola, tudo o que pudesse mantê-la fora de casa. À noite, Blanca sentava-se muitas vezes na relva até todos estarem a dormir. Olhava para as estrelas mas não conseguia olhar para o telhado. Ele não estava lá. De que adiantaria?

O Sapato de Cristal, embora continuasse a ser elogiado nos suplementos de domingo dos jornais e revistas de arquitectura locais, não era certamente a casa de Blanca. Nada lhe pertencia. Não havia nada de que valesse a pena gostar. Mesmo quando encontrou Lisa no seu quarto, vestida com as suas roupas, o rosto borrado com a maquilhagem de Blanca, não fez mais nada senão dar meia-volta e sair. *Fica com isso*, pensou. *Fica com tudo.*

— Desculpa — gritou Lisa atrás dela, mas o seu tom de voz era zangado, quase como se tivessem sido as suas coisas a ser conspurcadas. Lisa era uma rapariga alta e desajeitada, com grandes olhos azuis, claramente a preferida do pai. John Moody, que praticamente nunca estava em casa enquanto Sam e Blanca cresciam, assistia agora a todas as reuniões da escola de Lisa e a todos os recitais de piano. Um ano, levou Lisa ao Disney World nas férias de Natal, deixando Cynthia em casa a tomar conta de Blanca. Isto foi na fase da Blanca má, aquela que nunca estava em casa, que dormia aqui e ali, a adolescente azeda e invejosa que se sentia como se fosse órfã. A rapariga fria e dura que saiu do Connecticut assim que pôde, primeiro para a universidade na Virgínia, depois para Londres. Aquela que nunca mais ia voltar, a que apanhava escaravelhos nas páginas dos livros até os seus dedos estarem manchados com sangue azul-claro, como tinta que não conseguia tirar, nem que lavasse as mãos mil vezes.

165

John Moody morreu no quintal da casa que o seu pai construíra, aquele *design* premiado feito de ângulos, vidro e céu. Era uma casa que John odiava mas que não conseguia deixar, por causa do seu valor arquitectónico e história, porque crescera ali, mas principalmente porque se tornara prisioneiro do seu próprio fracasso. Todos os dias, quando acordava na casa do pai, John lembrava-se de que ele próprio nunca conseguira fazer nada tão meritório. Todo o seu trabalho era derivativo — uma reacção contra as acções do pai. Se lho perguntassem, John teria negado que acreditava em predestinação, teria dito que achava que o destino era uma mistura confusa de crenças relativas e de desejos e que as pessoas faziam o seu próprio destino. E contudo ali estava, preso, incapaz de mudar algo tão simples como a sua morada. Era como se a vida de John Moody já tivesse sido escrita num grande livro, numa linguagem impossível de apagar. Escrevinhada a tinta de sangue, tinta invisível, tinta de vida ou morte. Linhas rectas de palavras.

A única vez em que John se desviara do caminho à sua frente fora naquele único instante em que se perdera. Estava uma noite tão escura, cheia de nevoeiro, e toda a viagem no *ferry* desde Bridgeport lhe parecera um sonho. Numa noite daquelas, uma pessoa podia ir parar a qualquer lado com um único passo; bater à porta de uma desconhecida, acabar na cama com ela. Mesmo um homem como John podia desviar-se tanto do caminho onde se encontrava que podia nunca mais conseguir voltar ao sítio onde devia ter estado. A sua vida real. A vida que lhe estava destinada e que se desfizera por causa de uma única noite, uma curva errada, uma rapariga de cabelo ruivo de pé num alpendre.

E se ele tivesse feito aquilo que planeara, se se tivesse tornado o jovem que ia estudar em Itália? Teria esse caminho revelado uma pessoa diferente? Uma pessoa carinhosa, um bom pai? Ou talvez essas escolhas não tivessem feito diferença. No fim, talvez ele fosse quem era, independentemente de qualquer outra possibilidade. John carregou os seus erros com ele até o fardo se tornar quase demasiado pesado para se recordar do que podia ter sido. Os filhos do seu primeiro casamento tinham voado para longe, como pássaros. O que eram os pássaros para ele? Criaturas que batiam contra o telhado de vidro, que sujavam as janelas, seres indesejados e indignos de confiança. Não havia fotografias da sua primeira mulher na casa, nenhum sinal de que ela alguma vez existira, e contudo ele via-a quando descia para a cozinha na madrugada escura. Via-a no jardim, à noite. John Moody via-a sempre que apanhava um avião, nas nuvens, ou sentada ao lado dele. John não acreditava realmente nessas coisas — espíritos, fantasmas. E contudo ali estava ela, Arlyn Singer, exactamente como era quando ele a vira pela primeira vez. Ela nunca falava, limitava-se a olhar para ele. Talvez quisesse alguma coisa dele, mas John não fazia ideia do que poderia ser. Ela tinha o mesmo vestido branco, de tecido fino e transparente. Ao princípio, pensara que estava a enlouquecer; consultara médiuns e psicólogos mas, por fim, aceitara o facto de que era um homem assombrado.

Arlie não o deixava, não lhe permitia que prosseguisse com a sua vida. Quereria que ele sofresse? Afinal de contas, onde estava ele enquanto ela dava o último suspiro? Na casa do lado, com Cynthia? A caminhar sobre o relvado? No escritório, de olhos fechados, na esperança de adormecer? Já não desejava o sono há anos. Evitava-o, temia-o; o sono era um espaço em branco no qual pairava desprotegido. Sempre que conseguia finalmente adormecer, John tinha um sonho recorrente. Estava a andar dentro do Sapato de Cristal; todas as divisões estavam às escuras. Descia um corredor de vidro, sem nunca chegar a qualquer destino. Acordava sentindo-se perdido, lutando para respirar. Estava sempre à beira de descobrir algo mas, no último instante, não conseguia encontrar o caminho.

Nas últimas semanas de vida, John andava a sentir-se cansado e com dores de cabeça, mas não prestou atenção à sua saúde. Nunca prestara. Estava ocupado, com o trabalho, com a família. Andava a ensinar a filha, Lisa, a conduzir. Ela era uma rapariga encantadora, mas péssima condutora. Durante essas duas últimas semanas da sua vida, saíram várias vezes para praticar; uma vez, quando estavam a meio caminho de Greenwich, ele ficou tão confundido que pediu a Lisa para encostar. Saiu do carro e ficou ali, de pé à beira da estrada, a tremer. Simplesmente não fazia ideia de onde estava. Ia mandar parar um carro, convencido de que se tinham desviado quilómetros do seu caminho.

Felizmente, Lisa tinha bom sentido de orientação. Era uma rapariga prática, terra-a-terra. Saiu e ajudou-o a entrar outra vez no carro.

Está tudo bem, papá, dissera. *Eu sei onde estamos. Estamos quase em casa.*

Ele sentara-se no banco do passageiro, com as pernas compridas dobradas, de alguma forma enfraquecido, mais calado do que o habitual, sem se dar ao trabalho de criticar Lisa, nem mesmo quando ela quase derrubou um sinal de «stop». Quando chegaram a casa, Lisa falou à mãe sobre o estranho comportamento do pai. Cynthia queria telefonar ao médico, mas John insistiu que estava bem. Mas não estava. Sentou-se junto das portas de vidro; ali estava a sua primeira mulher ao pé da piscina, nua, branca como leite, como a vira na cozinha na noite em que a conhecera. John sentiu-se novamente atraído para ela. Saiu. O seu coração começou a bater mais depressa.

Cynthia fora uma boa mulher para ele; tivera sorte, nesse aspecto. Envolvera-se com ela sem saber bem como, aterrorizado pela doença de Arlie, pela própria morte, pelos seus próprios filhos. Na verdade, a vizinha do lado podia ter sido qualquer pessoa e ele teria batido à porta dela a meio da noite de qualquer maneira, implorando conforto, desesperado por companhia. Tendo em conta tudo isso, o casamento não correra mal. Mas, agora, estava a dar por si a afastar-se. Queria Arlie. Reparou nas rolas-carpideiras que se tinham reunido no relvado.

Algum tempo antes, avistara cinzas nos balcões da cozinha; reparara em rachas e lascas em todos os pratos. Sentia que algo chamava a sua atenção. Subiu até ao quarto de Sam, fechado e trancado há anos, pegou na chave e entrou. Sentou-se na beira da cama. Também aqui havia cinzas, como se nunca tivessem apanhado Sam fora do quarto: cigarros, seringas, roupa suja e malcheirosa. Sam partira mas, de certa forma, continuava ali. Havia um saco com roupas dele no armário, coisas que Arlie comprara, camisolas e fatos-macaco. Os desenhos dele ainda estavam nas paredes.

O mais estranho quando tivera de identificar o corpo de Sam não fora o facto de lhe parecer um estranho, mas sim o facto de, na morte, de alguma forma ele ter sido devolvido a John. Estava igualzinho a quando era pequeno, quando viviam na 23rd Street; uma criança boa e autêntica para a qual John não se dera ao trabalho de arranjar tempo. Arlie adorava Sam; John não conseguia compreender a ferocidade com que ela o amava. Fora um pai terrível e talvez não tivesse o direito de o chorar, mas sentara-se num banco na morgue e chorara. John não sabia que era capaz de emitir esse tipo de sons. Não sabia que conseguia sentir alguma coisa pelo filho. Não estava certo de conseguir sentir fosse o que fosse.

Quando saiu da morgue, dirigiu-se à última morada de Sam, na 10th Avenue. Haveria alguma coisa dele que John precisasse de retirar? Deveria ter uma chave? Deveria falar com o porteiro? Este era o edifício de onde Sam caíra. Os corredores eram escuros e havia pinturas manchadas e desenhos a giz nas paredes da escada, borrões de tinta preta, vermelha e azul, imagens perturbadoras, de homens, pássaros e nuvens. John Moody nunca devia ter estado neste corredor ou ter tido Sam como filho. Nunca devia ter-se perdido naquela noite.

Tinham decorrido quase onze anos desde o desaparecimento de Sam. A terrível verdade era que John ficara contente quando ele partira. Nunca o dissera em voz alta, mas ficara aliviado. Estava fora do seu alcance; não era problema dele; era muito melhor assim. Agora, estava exausto de subir quatro lanços de escadas. Nunca ninguém se preocupara com este prédio. Não tinha luz, era feio, uma caixa de betão. Era tudo contra o qual John Moody trabalhara ao longo da sua vida: desordem e desespero. Mas era aqui. Era a última morada conhecida do filho, por isso bateu à porta. Era de ferro; magoou-lhe a mão. Um pensamento fugaz passou-lhe pela cabeça: — *Ainda podia sair daqui.*

Um rapaz de dez anos abriu a porta. John Moody reconheceu-o. O rapaz era Sam, mas isso era impossível.

Sam?, dissera John.

O meu pai não está aqui, disse-lhe o rapaz. *Eu sou o Will.* Era um miúdo circunspecto, a precisar de um corte de cabelo. *Quer entrar? A minha mãe deve estar a chegar.*

Sam como ele podia ter sido, sem aquela expressão nos olhos, aquela expressão descontrolada e fúnebre, de noite escura. Apenas um rapazinho.

Não, acho que me enganei no sítio. Morada errada.

John Moody afastou-se apressadamente. Dois degraus de cada vez. Mandou parar um táxi. Já sabia que ia manter aquele rapazinho em segredo, até mesmo de si próprio. Aquilo de que não se falava rapidamente desaparecia, pelo menos à superfície, o que lhe bastava. Não era responsável por aquilo em que não pensava. Em vez disso, dava grandes caminhadas. Distraía-se. Assistia aos recitais de piano de Lisa. Falava com a sua orientadora escolar sobre as melhores universidades e estudava os seus horários e disciplinas, mas entretanto estava perdido. Pensava naquele corredor em Nova Iorque mais do que devia. Tinha conversas com um neto que nem sequer conhecia. John começou a andar com um gravador no bolso. Cynthia gravava-lhe não só os seus compromissos diários, mas também indicações sobre como lá chegar. John andava confuso a esse ponto.

Mas lembrava-se de ir ao cemitério uma vez por mês. O velho cemitério, Archangel, onde estava Arlie. Ninguém tinha de lhe dizer para fazer isso; ninguém sabia sequer que ele o fazia. Estacionava o carro e olhava para a grande árvore, um sicómoro, julgava ele, não que percebesse muito de árvores. Tinha o tronco às pintas, a casca levantada. John percebia de vidro e aço. Sabia como era sentir-se oco por dentro. Ao longo de todo este tempo, tinha sentido a falta de Arlie. Tinha uma fotografia dela na carteira; tirara-a no *ferry*, um dia, quando ela insistira que regressassem para ver a casa onde crescera. Arlie trazia um vestido branco pouco adequado para o tempo, mas fora John que lho oferecera. Não era um homem que pensasse muito em presentes mas, quando vira o vestido, soubera que era perfeito para Arlie. O céu estava escuro e ameaçador e, por um instante, John temeu que a mulher fosse levada pelo vento.

Não sejas palerma, dissera ela. Estava agarrada à amurada. *Não vou a lado nenhum.*

No dia anterior à sua morte, John sentiu dificuldade em respirar. Saiu para apanhar um pouco de ar e ali estava Arlie, rodeada por rolas-carpideiras. John pensou que talvez tivesse seguido o caminho certo, afinal de contas. Talvez estivesse destinado a perder-se naquela noite, destinado a encontrar Arlie na cozinha, destinado a ser pai de Sam, o único filho que tivera com ela. Ele sabia disso. Sabia por que motivo George Snow se sentara à cabeceira de Arlie, mas não amava Blanca menos por isso. Nem sequer culpava Arlie. Nem um bocadinho. Ele perdera-se, era esse o problema; não estivera ao lado dela e nunca fora o tipo de homem capaz de pedir ajuda.

— Acho mesmo que devias tentar descansar mais — disse Cynthia na noite anterior à sua morte. John estava apático, distraído.

— Ela estava completamente nua na cozinha — disse John Moody.

— Quem?

John recompôs-se.

— Um filme qualquer. Vi-o na televisão ontem à noite. Têm nudez.

— Não devias ficar acordado até tão tarde a ver televisão — disse Cynthia.

Nessa noite, John Moody fez o que lhe disseram. Adormeceu e começou a sonhar que estava a descer o corredor. Este sonho era diferente do habitual. Ouviu qualquer coisa a partir-se; sentiu o cheiro a fumo. Havia fuligem no chão. Por fim, chegou a uma divisão que desconhecia, mesmo no meio da casa onde crescera. A divisão que sempre procurara. A porta estava fechada mas ele ouvia algo a voar lá dentro. Batia contra a parede com um baque; havia o som de asas a bater. Como um coração, igualmente regular, mas mais alto, tão alto que conseguia senti-lo dentro da cabeça.

A chave da sala era feita de vidro. Cortou as mãos de John e fê-lo sangrar. O próprio sangue tinha um ritmo constante, à medida que caía no chão. Havia qualquer coisa a voar na escuridão, algo grande e escuro com asas tipo couro. Tinha garras. Sempre ali estivera. Partira todo o vidro, o tecto, as janelas; havia vidro por todo o lado, como estrelas cadentes.

John acendeu uma lanterna. De repente, viu a verdade. Não era um pássaro preso dentro da sala; era um dragão. Vermelho e ferido, com as asas a bater. Um dragão na sua própria casa.

John Moody apertou a chave de vidro na mão apesar de continuar a sangrar. Conseguia ouvir a sua própria respiração, a respiração do seu verdadeiro eu, que dormia. Mas o seu eu do sonho não conseguia respirar. Não se atrevia a mover-se. Pois ali estava o problema, como sempre estivera: ele não sabia se devia matar o dragão ou salvá-lo.

John tinha uma enxaqueca quando acordou de manhã e decidiu não ir trabalhar. Era uma raridade e motivo de preocupação. Cynthia telefonou para o médico para marcar uma consulta, enquanto preparava o pequeno-almoço. Era melhor jogar pelo seguro. Afinal de contas, já não eram propriamente jovens. Nem sempre estavam de acordo, mas ela era uma boa mulher e ele um bom marido. Preparou-lhe um tabuleiro com o pequeno-almoço: fruta, ovos, descafeinado com leite magro.

Quando John desceu, ainda estava de roupão. Disse-lhe que não conseguia respirar; precisava de apanhar um pouco de ar.

Eu levo-te um copo de água, dissera Cynthia. *Podemos tomar o pequeno-almoço lá fora.*

Depois de ele sair para o quintal, Cynthia viu John deixar-se cair numa das cadeiras do pátio para ficar voltado para o relvado. Ele adorava aquela vista. Era um homem atraente, mesmo agora, e Cynthia dava-lhe valor. *Finalmente está a descansar*, pensou, mas não era nada disso. John Moody estava à espera e, em menos de nada, ali estava ela. Conseguia vê-la tão claramente como o dia. O longo cabelo ruivo, o vestido branco transparente. Ela era perfeita; esquecera-se disso. Claro que compreendia porque ficara.

Quando acordara num sofá desconhecido, na casa de uma desconhecida, tantos anos antes, sentara-se e calçara-se rapidamente. John Moody não era nenhum idiota disposto a cair numa cilada. Pegou nas chaves do carro e encontrou um mapa em cima da secretária, na sala. Ali estava o caminho que ele devia seguir, uma linha fina de cor que cortava a costa norte de Long Island. Bastante fácil. Fácil como tudo. Mas depois ouvira algo que lhe despertara o interesse. Um som que não conseguiu ignorar, como asas a bater, ou tecido a deslizar sobre os ombros de uma mulher. Vinte passos até à porta da cozinha. A carpete estava gasta, os soalhos eram feitos de tábuas de pinho largas e amarelas. Como podia ter esquecido o quanto a desejara? As suas mãos tremiam quando empurrou a porta. Mãos grandes e brancas, desastradas, jovens, um homem à procura daquilo que queria. Ali estava o passado, o futuro, o seu destino. A Itália não era nada, em comparação com ela. Tudo o que podia ter sido desvaneceu-se.

Olhou para o relvado e, finalmente, compreendeu-se a si próprio. Uma dúzia de rolas-carpideiras. Sombras escuras no relvado. Arlie desaparecera, mas já não precisava dela para recordar. A forma como se virara para ele. A forma como falara com ele. A forma como ele estava à espera dela.

Agora lembrava-se de tudo.

*

Um mapa vermelho não é fácil de seguir. Qualquer documento feito de sangue e ossos é complexo. É fácil virar no sítio errado e há, muitas vezes, pilhas de pedras na estrada. Uma pessoa tem de ignorar o tempo e a dor e todos os danos causados. Se o seguirmos, se nos atrevermos, o fio conduz sempre a quem ou àquilo que esquecemos: a menina perdida no bosque, o ouriço-cacheiro, o colar de pérolas, o *ferryboat*, o nosso próprio pai.

Todos os viajantes precisam de um casaco quente, sapatos de caminhada, uma garrafa de água, um relógio no qual possam confiar, um homem honesto e um espelho com um reflexo fiel. James Bayliss levou Blanca ao aeroporto. Estava zangado, mas a maioria das pessoas não o teria percebido. Mas Blanca percebia. Conhecia James suficientemente bem para reparar que os seus ombros estavam um pouco mais levantados do que o habitual, tensos, e havia mais silêncio; as suas botas de trabalho estavam particularmente pesadas no acelerador e no travão. James estava irritado porque Blanca não o deixava ir com ela. Para ele, não fazia o mínimo sentido.

— Não fiques zangado. Não vais perder nada. É apenas um interregno, na verdade.

Blanca não viajava com muita bagagem — uma pequena mala com roupas pretas, champô, livros.

— James, por favor — disse, quando ele não respondeu. James andava à procura de um lugar para o carro apesar de ela lhe ter dito para não se dar ao trabalho de estacionar, para se limitar a deixá-la à porta.

— Ali — disse, apontando para a zona de partidas. — Eles nem sequer são a minha família, tecnicamente — insistiu Blanca. — São todos meios parentes. A minha verdadeira família está morta.

— Não queres que entre no terminal e espere contigo?

— Porque haverias de querer fazer isso? — disse Blanca. — Não podes ir comigo até à porta de embarque. É um desperdício de tempo.

— Mas eu quero. A questão é essa, Blanca.

— É uma estupidez — disse Blanca.

James assentiu. Ali estava, uma farpa ao facto de ele não ter frequentado a universidade.

— Exactamente.

— Não quis dizer estupidez nesse sentido.

— Não, tenho a certeza de que querias dizê-lo no bom sentido.

Ambos se riram, embora parecesse que este momento podia ser o fim do que havia entre eles. Despediram-se no passeio em frente ao terminal da British Airways. Estava muito barulho e havia muita gente. James não fez um único gesto na direcção dela, limitou-se a ficar ali parado e a entregar a mala a Blanca. Era embaraçoso. James jogara futebol semiprofissional quando era mais novo, e agora alguém o reconheceu e deu-lhe uma palmada nas costas. Acontecia muitas vezes, estranhos que, do nada, se dirigiam a ele.

— Volto depressa. Prometo. — Blanca abraçou-o e depois afastou-se. Ele não retribuiu o abraço. — Isto não tem nada a ver connosco. Tem a ver com voltar a casa.

— Não podes continuar a dividir os teus mundos. — James não tirou as mãos dos bolsos. — É uma grande complicação. Ou estamos nisto juntos, ou não estamos.

Blanca só queria que esta viagem terminasse. Depois podia voltar e resolver as coisas com James. Afinal de contas, a sua vida era aqui. Fez o *check-in* e esperou; quando chamaram para o seu voo, embarcou, tomou um comprimido para dormir e fechou os olhos. Pouco depois, adormeceu. Sonhou com um cisne no relvado da casa do pai. O animal movia-se com dificuldade, lentamente, como se estivesse exausto, depois deitou-se na relva. Estava a dar à luz e o trabalho de parto parecia correr mal. O parto foi súbito e a cria saiu do cisne com a grande força do nascimento — um pato adulto, envolto numa membrana grossa e mucosa. Quando acordou, Blanca pensou: *Mas os cisnes põem ovos.*

Estava escuro e sobrevoavam o oceano; a cabeça de Blanca encheu-se com o ruído monótono dos motores do avião. Pensou em James, parado no passeio. Pensou nas muitas maneiras em como o amor podia magoar. Não era uma pessoa aberta; sabia disso. Presumira que James também o sabia.

Blanca alugou um carro no aeroporto Kennedy e conduziu até ao Connecticut; como não tinha a certeza de se lembrar do caminho, pedira à funcionária no balcão de aluguer de automóveis que a ajudasse com o mapa, várias vezes. Apesar disso, sentiu-se nervosa enquanto conduzia. Ia praticamente em pânico, imaginando estar do lado errado da estrada; sentia-se confusa e maldisposta e nem sequer se dera ao trabalho de passar um pente no cabelo. Quando saiu da via rápida, recordou-se do resto do caminho. Virar à esquerda, e ali estava o supermercado. Virar à direita, e estava no caminho para casa.

Tivera uma conversa telefónica breve e desconfortável com a madrasta. Obrigada, mas não, não queria ficar lá em casa, ficaria na Eagle Inn, do outro lado da cidade. Meredith já fizera as reservas. Quando Blanca se aproximou, lembrou-se da estalagem, uma casa branca com fundações de pedra e um pátio. O autocarro escolar fazia este caminho, mas Blanca nunca olhara muito para além das sebes.

Estacionou e percorreu o caminho a pé. Ouviam-se abelhas e o trânsito na estrada. De súbito, Blanca desejou ter trazido qualquer coisa para vestir que não fosse preta; estava a morrer de calor. Como o Verão era húmido, aqui. O ar era peganhento e custava-lhe a respirar. Vestia uma blusa de manga comprida e um par de calças de bombazina que deveriam ter sido arrumadas com a roupa de inverno.

A proprietária da estalagem era uma mulher da terra, Helen Jeffries, ela própria viúva há pouco tempo, que parecia conhecer a família Moody.

— Lamento muito a sua perda — disse Helen, enquanto tratava da reserva de Blanca e lhe entregava uma chave. — O seu pai era um homem encantador.

Blanca subiu as escadas alcatifadas e encontrou o seu quarto — a cama com uma colcha de folhos, e vista para o jardim. Pensou no cisne com o qual sonhara no avião. A estalagem não tinha ar condicionado e sentia-se febril. Não havia casas de banho nos quartos, por isso percorreu o corredor para se ir refrescar. O vestido que comprara para usar no funeral era de lã, completamente inapropriado para o tempo. Esquecera-se de como era o Junho aqui. Ia assar, ia arder, ia irromper em chamas ao lado da campa.

Blanca abriu a torneira de água fria e molhou a cara. Se abrisse os olhos, estaria de volta ao seu apartamento? Se pestanejasse, estaria à entrada da sua casa onde, tantos anos antes, cresciam lilases?

Alguém bateu à porta da casa de banho.

— Não gastes a água toda!

Era Meredith, a brincar com ela. Blanca abriu a porta e abraçaram-se.

— Deixa-me olhar para ti.

Meredith continuava a ver Blanca como a menina de dez anos que era quando começara a tomar conta dela, ainda agora, quando o filho mais novo de Meredith tinha nove anos e o mais velho treze. Merrie chegara ao Connecticut há poucas horas mas já telefonara aos filhos; tinha imensas saudades deles, apesar do barulho que faziam e das constantes exigências. Não conseguia imaginar como seria deixar os filhos para sempre, saber que não veria quem eles seriam quando crescessem. Bom, aqui estava Blanca — se a mãe pudesse vê-la! — uma mulher bonita com vida própria.

— Estás linda, apesar de não te teres penteado — disse Meredith.

— Meu Deus, estou apavorada com isto tudo. — Blanca calçava também botas pretas pesadas. Para onde pensara que ia? Para a tundra gelada? Para algum sítio de clima árctico onde os trabalhadores tinham de quebrar o gelo com picaretas para enterrar um homem?

Meredith vestia um fato cinzento-claro com detalhes pretos e uma blusa de seda preta. Estava casada há quinze anos e era mãe de quatro filhos; voltara a estudar e agora dava aulas de Inglês no liceu local. Meredith estava demasiado ocupada para vir ao funeral de um homem que não via há anos e de quem nem sequer gostara. Olhou para o rosto de Blanca. Pensou no seu primeiro dia com a família: Sam no telhado, tão perigosamente perto de cair. Blanca a correr pelo caminho.

O tempo que Meredith passara no Connecticut permitira-lhe aprender quem era e aquilo que queria. Por exemplo, ainda na noite anterior, na cama, Merrie virara-se para o marido e pedira-lhe para prometer que, quando morresse, voltasse para a assombrar.

— Por que raio haveria de querer fazer-te uma coisa dessas? — Daniel há muito que deixara de pensar em espíritos. Era chefe do seu departamento e agora estava concentrado no mundo real.

— Porque eu quero que o faças.

Daniel riu-se.

— Não haverias de querer uma coisa dessas.

Meredith abraçou-o. Nunca, em toda a sua vida, pensara que podia amar alguém tão profundamente.

— Sim, tens de o fazer.

— Então é isso, Merrie. É por isso que as pessoas são assombradas.

Era uma discussão a que voltavam muitas vezes, desde a noite em que se haviam conhecido, quando Meredith afirmara que a casa onde trabalhava estava assombrada. O que mantinha um espírito preso à terra? Amor ou ódio, tempo ou desejo?

— As pessoas são assombradas porque querem ser — dissera Daniel.

Meredith tinha saudades do marido. Ele tinha razão, em relação aos fantasmas. Ela havia de querer que ele a assombrasse; nunca quereria deixá-lo partir.

— É melhor despachares-te — disse a Blanca. — Temos de sair dentro de dez minutos.

— Porque temos de ir tão cedo? O cemitério é ao fundo da rua.

— Não. É mais longe.

— Não é aquele com a árvore grande? O Archangel? O Sam levou-me lá uma vez para visitar a campa da nossa mãe. Ele ainda não tinha carta, mas roubou o carro da Cynthia. Era de noite, estava lua cheia e eu ia morta de medo.

— É outro cemitério, Bee. Foi a Cynthia que o escolheu.

— Ah, ele não vai ser enterrado com a minha mãe. — Blanca sentiu-se corar. Só chegara há poucas horas e já estava furiosa. — Nem com o meu irmão. Bom, pois claro. Faz sentido. Certamente que ele não haveria de querer passar a eternidade com a minha mãe e com o Sam.

Saíram e dirigiram-se ao carro que Blanca alugara. Meredith viera de táxi, mas agora insistiu em ser ela a conduzir; pelo menos sabia de que lado da estrada devia andar. Blanca escovou o cabelo no carro, com gestos bruscos e violentos. Ainda tinha um bonito cabelo claro, mas prendeu-o num carrapito que segurou abruptamente com um travessão. Olhou para a janela enquanto Meredith conduzia. Entraram na via rápida e passaram por duas saídas antes de retornarem às estradas secundárias. Ia haver uma cerimónia no cemitério, junto da campa; já estavam lá tantos carros que Meredith teve de estacionar no exterior do recinto. Blanca remexeu na mala, à procura de um pequeno chapéu preto de malha. Perfeito para a Antárctida. O suor escorria-lhe pelas costas e o vestido de lã provocava-lhe comichão. Deu graças pelo colar de pérolas frescas à volta do pescoço. Ela e Meredith percorreram um caminho de cimento.

— Sabes porque vim trabalhar para a tua família? — perguntou Meredith enquanto caminhavam.

— Porque eras masoquista?

Meredith riu-se. As pessoas reunidas junto da campa viraram a cabeça quando elas se aproximaram.

— Bom, sim. Suponho que era. Fiquei com o emprego porque via o fantasma da tua mãe.

— Ouve, Meredith, eu não acredito em nada disso. Quando morremos, desaparecemos. Portanto, talvez não tenha importância o meu pai e a minha mãe não serem enterrados juntos.

— O teu pai tinha ido consultar uma médium. Eu estava na despedida de solteira de uma ex-colega de faculdade e vi-a. Ela tinha cabelo ruivo comprido. Trazia um vestido branco. Tive a sensação de que devia segui-la até casa.

— Foi assim que tomaste a tua decisão? Meu Deus! Pensava que eras a pessoa mais sensata lá de casa.

— Foi uma boa decisão.

Meredith abraçou Blanca. Pensava nela como a sua primeira filha, uma filha para ensaiar.

— Via-a na casa, no jardim, no telhado. A tua mãe estava sempre lá.

— O que achas que ela queria? Os fantasmas não querem sempre qualquer coisa? Corrigir uma injustiça? Mudar o passado? Vingar-se?

— Eu pensava que os fantasmas queriam ser recordados, que se recusavam a ser arrumados numa gaveta como um par de meias velhas. Talvez ela estivesse a olhar por ti e pelo Sam, mas acho que tinha muito a ver com o teu pai. Ele estava a vê-la no relvado no dia em que morreu.

— Não podes ter a certeza disso — disse Blanca.

— Pois não, mas é no que acredito.

Blanca não conhecia ninguém no cemitério à excepção de Cynthia, que vestia um conjunto de seda preta e um chapéu com um pequeno véu. E ali estava Lisa; devia ser ela, uma rapariga de dezasseis anos com cabelo cor de mel, lavada em lágrimas. Era quase irreconhecível; da última vez que Blanca vira a meia-irmã, ela não passava de uma criança, não era uma adolescente de pernas compridas.

O calor do Connecticut era sufocante. Na verdade, Blanca desejou que James estivesse ali. Gostava de o sentir ao seu lado, mesmo quando ele não dizia nada.

— Gostava de ter visto a minha mãe — disse Blanca. — Nem sequer me lembro de como ela era.

— Eras demasiado pequena. Acredito agora que os espíritos não escolhem permanecer ou não. Ficam porque os vivos não os deixam partir. Era por isso que o teu pai continuava a vê-la.

— Estás a dizer que era o meu pai que a mantinha aqui? Mas nem sequer quis ser enterrado ao lado dela!

Juntaram-se aos presentes e várias pessoas cumprimentaram Blanca como se a conhecessem, oferecendo as suas condolências. Talvez as tivesse conhecido em tempos, quando era pequena, mas agora não passavam de uma sucessão confusa de rostos desconhecidos. Meredith orientou-a na direcção certa e Blanca aproximou-se da madrasta.

— Cynthia — disse, com alguma hesitação, como se não esperasse ser reconhecida.

— Oh! — Cynthia precipitou-se para Blanca e abraçou-a. Era evidente que há vários dias que não fazia outra coisa senão chorar.
— Nem acredito que ele se foi.

— É verdade — concordou Blanca, chocada ao ver como Cynthia parecia frágil nos seus braços. Quando se afastaram, Blanca percebeu que Cynthia parecia muito mais velha, mesmo com o rosto escondido pelo véu.

Blanca acenou à sua meia-irmã. Lisa limitou-se a olhar para ela.

— Acho que vou para junto da Meredith — disse Blanca.

Cynthia não pareceu reparar quando Blanca se afastou. Por esta altura, a pele pálida de Blanca já estava corada. Até as pérolas que trazia ao pescoço — geralmente tão frias e refrescantes sobre a pele — ardiam como pequenos carvões em brasa. Lembrava-se agora que as pérolas estavam pretas da primeira vez que as vira, cobertas de cinzas.

179

A cerimónia começou e Meredith enfiou o braço no de Blanca quando Cynthia e Lisa começaram a soluçar. Estavam em prantos, unidas no som profundo da dor. O sacerdote falava tão baixinho que Blanca quase não o ouvia. Havia piscos na relva e escutava-se o zumbido de um cortador de relva algures, à distância. O coração doía-lhe no peito.

— Sentiremos a sua falta — estava o sacerdote a dizer. Blanca ouviu essa parte, pelo menos. — Agora e para todo o sempre.

Ia haver um almoço na casa, mas Blanca ainda não estava preparada para isso. Precisava de tempo para recuperar o fôlego. Que importava que se atrasassem? As pessoas podiam falar à vontade.

— Vamos dar uma volta de carro — sugeriu Blanca.

Abriram as janelas do carro e deixaram o ar entrar. Blanca desapertou as botas e descalçou-as. Tirou também as meias. Quando pararam para meter gasolina, Meredith saiu e comprou dois refrigerantes; beberam-nos no parque de estacionamento da estação de serviço. Mais algum tempo. Mais alguns minutos antes de terem de enfrentar o Sapato de Cristal. Os pés descalços de Blanca ardiam no asfalto quente, mas não se importou. Pelo menos, conseguia sentir qualquer coisa. Nesta altura, as pessoas já deviam estar a pensar no que lhes teria acontecido.

— Apetece-me arrancar a roupa — disse Meredith, indicando o fato de seda. — Não pensei que estivesse tanto calor.

— A mim apetece-me arrancar a pele.

Ambas se riram e depois Blanca começou a chorar, de repente. Pensara que nunca mais voltaria a chorar, mas aqui estava ela, lavada em lágrimas.

— Oh, Blanca — disse Meredith. — Lamento muito.

— Tenho de ir para junto de pessoas que nem sequer conheço, chorar a morte do meu pai. Quem me dera que o Sam estivesse aqui. Que raio de pessoa sou eu? Nem sequer consigo chorar pelo meu pai.

— Estás a chorar — disse Meredith.

Voltaram para o carro mas, em vez de virarem à esquerda em direcção à casa quando saíram da via rápida, Meredith virou à direita e seguiu ao longo do parque da cidade.

— Onde vais?

— Disseste que querias o Sam.

180

Quando Sam levara Blanca às escondidas para o telhado do Sapato de Cristal, ainda ela era pequena, dissera-lhe que, para caminhar sobre o vidro, era sempre preferível estar descalça. Pés descalços não escorregam nem deslizam tanto como sapatos e consegue sentir-se o frio através dos pés, até aos ossos.

Experimenta, Ervilha, dissera ele.

Mas Blanca estava demasiado assustada para desatar os atacadores dos ténis.

— Quero mesmo o Sam — disse, agora.

Meredith conduziu até ao outro cemitério, o da árvore grande e portões de ferro, aquele onde Sam e Blanca tinham ido na noite em que ele roubara o carro de Cynthia. Sam conduzira a cem à hora e Blanca estava aterrorizada, mas nunca lhe pediu que parasse.

É esta a sensação de voar, dissera-lhe Sam.

Meredith e Blanca andaram às voltas no cemitério, perdidas. Os caminhos pareciam todos iguais, hera e sebes e longas sombras azuis. E depois Blanca reconheceu a grande árvore.

— Ali está!

Estacionaram e caminharam até junto das campas. A relva era macia e fresca debaixo dos pés descalços de Blanca.

— O Sam trepou àquela árvore na noite em que aqui viemos. Estava escuro como breu e eu não conseguia vê-lo. Estava morta de medo. Não sabia como conseguiria regressar a casa se ele caísse e partisse o pescoço.

— Terias conseguido — disse Meredith. — Eras uma criança prática e inteligente.

Na verdade, Blanca sempre fora independente, mas toda a sua confiança desaparecera. Se é que alguma vez se tratara realmente de confiança, e não apenas de um fino verniz de fanfarronice para encobrir o medo. Estava fresco no cemitério e a relva apresentava-se molhada. A humidade e o frio subiam através dos pés de Blanca, até aos seus ossos. Fora muito mais fácil chorar o irmão à distância, nas margens do Tamisa. Isso fora papel, pedras e água, não carne e sangue. *Aquilo que não vemos, aquilo que não sabemos, aquilo que não sentimos.*

— Deixa-me respirar fundo. — Sentia-se extremamente tonta. Contou até cinquenta e depois para trás, até um.

Meredith esperou. Afinal de contas, não havia pressa. Sabia como era, caminhar sobre a relva até junto de alguém que se perdera.

— Já estou bem — disse Blanca alguns minutos depois.

Mas não estava, na verdade. Quanto mais se aproximava das campas, mais pedras havia no chão. Desejou não ter descalçado as botas. Desejou ter ficado onde estava, com os seus livros e os seus escaravelhos e a sua tília no jardim; um sítio onde não havia pedra nenhuma, apenas musgo, o tipo de musgo tão macio que, quando caminhamos sobre ele, pensamos estar muito acima da terra e de todos os seus caminhos pedregosos, algures nas nuvens, onde a temperatura é suficientemente fria para transformar a respiração em cristais de gelo, mesmo num dia quente de Junho quando as folhas caem dos salgueiros, encaracoladas nas pontas, secas como pó.

Will Roth ia fazer dezasseis anos. Já planeara a sua própria festa de aniversário. Ele era assim, mantinha a cabeça fria na iminência da catástrofe, a alegria em épocas de boa sorte. Will era uma pessoa que planeava, dinâmica, alguém com quem os amigos podiam contar. No aniversário de Will, os colegas teriam *bowling*, piza e diversão para todos. Will andava a poupar dinheiro há meses e já tinha o bastante para pagar a conta, caso a mãe estivesse mal de finanças, mas na verdade não precisava de se ter preocupado. A mãe recebera uma herança. Os pais dela tinham morrido e agora Will e a mãe eram ricos, mais ou menos. Bom, pelo menos não eram pobres. Viviam de subsídios há um ano ou dois e Will vivera com os avós, quando era demasiado novo para se lembrar, enquanto a mãe recuperava de uma juventude desperdiçada. Desperdiçada, excepto por ele. O amor da vida dela, o filho que ela não acreditava ter tido a sorte de ver nascer. A sua única família, agora.

Amy usara a herança para comprar um apartamento ao fundo da rua onde ficava o apartamento de renda baixa da avó, aquele de onde Sam fora expulso depois de adormecer, uma noite, e causar um incêndio. Ela pagou todas as contas, comprou um *skate* para Will, um guarda-roupa novo para si própria e voltou a estudar. Desde então, a mãe de Will tornara-se professora substituta numa escola particular em Brooklyn. Dava aulas de Biologia e Ciências da Natureza. Will, por outro lado, era um artista, como o pai.

A morte não era má de todo, Will apercebia-se disso agora. Perdiam-se coisas, encontravam-se coisas. Os avós, por exemplo, continuavam a dar mesmo depois de morrerem; tinham garantido o futuro de Will, havia até uma conta-poupança em nome dele, para a universidade. Ele gostava dos avós e passara vários verões com eles em Long Island; passara mais tempo com os avós do que a maior parte das crianças, porque a mãe era muito nova, tinha apenas dezassete anos quando ele nascera, e o seu pai, bom, o seu pai era instável. Will soube-o desde cedo. Era provavelmente por isso que Will tinha tanto cuidado com o dinheiro. Era cuidadoso de uma maneira geral. Sabia que as coisas podiam fugir-lhe num ápice, por entre os dedos.

Os seus pais viviam juntos, às vezes, e outras vezes não, e no fim o pai simplesmente desapareceu. Mas voltava sempre, pelo menos durante algum tempo, e a mãe de Will deixava sempre Sam ficar lá em casa, mesmo depois de terem acabado definitivamente a relação. Também deixava o papagaio de Sam ficar, desde que houvesse jornais por baixo do poleiro metálico que tiravam do armário durante estas visitas. Will compreendia o quanto a mãe era bondosa; ela odiava aquele papagaio e ele odiava-a do mesmo modo. *Fora daqui*, gritava ele sempre que Amy se aproximava. *Vai-te*, grasnava em tom acusador.

Sempre que o pai de Will estava em casa, era vívido, como uma mancha de cor. Um dia, Sam pintara as paredes da casa de banho e deixara Will ajudá-lo, até serem ambos remoinhos humanos de cor, cobertos de tinta a óleo que demorara dias a sair. Às vezes, quando o pai os visitava, acabava a discutir com a mãe de Will. Ela chorava e dizia, *Porque é que não consegues crescer?*, e depois Will sentia-se responsável. Sentia-se mal por gostar do tempo que passava com o pai, que nem sequer o obrigava a usar sapatos. Às vezes o betão estava quente e queimava-lhe os pés. Outras vezes havia gelo e neve e ele desejava ter um par de botas. Mas Will nunca se queixava ao pai. Estava grato por aquilo que tinha. Cresceu e tornou-se um rapaz aplicado, prático, de olhos escuros e cabelo castanho, alto, magro e sisudo.

— E a família do meu pai? — perguntara à mãe, e ela respondera: — O papagaio é a família dele. Tinha uma irmã, mas não sei o que

lhe aconteceu. Basicamente, é o papagaio. — Depois acrescentou:
— E nós.

Uma noite, quando Will e Amy regressavam a casa das compras, numa noite cinzenta e chuvosa em que o ar cheirava a açúcar e a cinzas, Amy parara subitamente e deixara cair os sacos no chão. Por um minuto, Will pensou que ela estivesse a ter um ataque de coração, mas não. A mãe estava a olhar para cima. Ali estava o pai de Will, no telhado.

— Tem cuidado com a pessoa por quem te apaixonas — dissera-lhe a mãe. *Cinzas, cinzas*, pensara ele. *Não havia outro sítio para ir senão para baixo.* — Tudo o que nos faz perder a cabeça não pode ser coisa boa. Lembra-te disso.

A mãe de Will tinha cabelo preto, curto, e vestia calças de ganga e *T-shirts* quando não ia trabalhar. Tinha uma tatuagem de uma rosa no ombro que desejava nunca ter feito.

— Do tempo da minha idiotice — disse a Will. — E que nem te passe pela cabeça fazer uma. És menor de idade.

Will sabia que os pais tinham consumido drogas, que se tinham apaixonado sem pensar nas consequências. Will via que a mãe se tinha recomposto, mas o pai nunca o conseguira e, por isso, não esperava nada de Sam. Às vezes a mãe falava sobre o quanto o pai dele era irresponsável, mas Will encarava isso como um dado adquirido, tal como há pássaros que são pretos e outros que são azuis. O pai era quem era, nada mais e nada menos.

Tinha havido alguns incidentes maus. Sam aparecia de vez em quando na escola de Will e isso era sempre um desastre. Na primeira classe, a polícia fora obrigada a expulsar Sam. Ou, pelo menos, era essa a história deles. Will teria conseguido acalmar o pai quando ele estava pedrado; já o fizera antes. *Damos dois passos, desatamos a correr, escondemo-nos no metro, nas escadas, na cave, no café.* Sam era paranóico. Will aprendera essa palavra ainda muito novo. Sabia o que se estava a passar quando Sam se punha no passeio em frente da escola a gritar que alguém queria matar o seu filho; esse perigo estava por todo o lado. Will ia à janela e via-os a levar o pai. Quando gritava ou berrava só piorava as coisas. Desejava poder escrever uma lista de instruções para o pai: *agacha-te, deixa os braços moles e caídos para não tos partirem como galhos, não resistas.*

Eles deitavam o pai de Will no chão quando ele não cooperava; um polícia sentava-se em cima dele, o outro algemava-lhe as mãos atrás das costas. Havia sangue no passeio, ou talvez fosse tinta. O pai de Will era um grande artista, apesar de nunca ser pago. Will esperava que os polícias não magoassem o pai, que compreendessem quem ele era. O pai de Will tinha o seu próprio sistema de crenças. Acreditava em pessoas más, mapas feitos de lágrimas, cidades de pó branco, tendas construídas com seringas. Acreditava que existia um paraíso; estava mesmo por cima do mundo do dia-a-dia, tinha de estar. Este não podia ser o mundo real. Não este plano de existência terrível. Não este mundo por onde caminhavam.

O pai de Will sofria, tinha dores, mágoas. Fazia coisas más, como roubar; era escravo da heroína. Will compreendia o que as drogas faziam a uma pessoa; desfaziam-na pouco a pouco, até sobrar apenas o coração. Apesar disso, nenhum outro pai se preocupava o suficiente para correr pelas escadas da escola a gritar sobre raptores maus; nenhum outro pai era corajoso ao ponto de ser arrastado, enfiado num carro da polícia, algemado, com os braços dobrados como asas, a olhar para trás pelo vidro, desesperado para proteger o filho que amava.

E depois o pai de Will morreu. Sem aviso, sem razão. Era apenas um dia normal e Will estava no seu quarto. Estava a fazer os trabalhos de casa, a escrever um texto sobre as grandes religiões do mundo, quando viu algo passar pela janela. Teve uma ideia louca — de que o céu estava a cair, o mundo ia acabar. Talvez a cidade estivesse a ser atacada. Já acontecera e podia acontecer de novo. O pai contara-lhe que estava tão perto das Torres Gémeas que ficara coberto de cinzas; tinha um frasco cheio delas na mochila, para o recordar de como o fim poderia estar perto. Talvez estivesse a acontecer agora. A 10th Avenue transformada numa zona de guerra. Talvez pedaços do céu estivessem a despenhar-se sobre camiões, autocarros, passeios, ferindo as pessoas suficientemente insensatas para se arriscarem a sair.

O que faria ele nos poucos minutos que lhe restavam, se fosse mesmo o fim do mundo? Não os trabalhos de casa. Isso era certo. Will dirigiu-se à secretária e escreveu, *Amo-te*, embora não tivesse a certeza a quem se dirigia esta mensagem. Simplesmente ocorrera-lhe. Uma mensagem para o universo, para tudo o que existira e já não existia. Cada dia, cada momento, cada molécula.

Alguém estava a bater à porta do apartamento e Will ouviu-a abrir-se. Depois ouviu a mãe a chorar. Nem sequer parecia ela. O som era como vidro; demasiado partido, demasiado desfeito para emanar de uma garganta humana. Ficou onde estava, escutando a sua própria respiração. Estava a acontecer qualquer coisa má lá fora. Depois alguém bateu à porta do seu quarto. Era um quarto pequeno, feito a partir de dois roupeiros, com a parede entre ambos derrubada; tinha uma janela e uma grande cama numa plataforma elevada. Will estava sentado à secretária por baixo da cama, a olhar para o que escrevera. Nem sequer parecia a sua letra. De súbito, pensou que talvez não fosse uma mensagem que ele deixara, mas sim uma que lhe fora entregue. A mãe abriu a porta. Will tinha dez anos, na altura, mas qualquer pessoa pensaria que era mais velho. Ergueu os olhos para Amy. E depois percebeu que não fora o céu que caíra.

No dia seguinte, a mãe foi ao médico, para pedir uns comprimidos que a ajudassem a parar de chorar. De um dia para o outro, parecia ter a idade que tinha, ou talvez tivesse apenas crescido muito depressa. Conhecera Sam Moody no terminal de autocarros na 42nd Street quando tinha quinze anos. Parecia ter sido há um segundo, ela ali sentada, encostada à parede, com botas da tropa, uma saia de xadrez verde, uma camisola que roubara na Lord & Taylor, a pensar em fazer uma tatuagem no ombro, a pensar em como seria apaixonar-se, estar perdidamente apaixonada. Foi então que ele se sentou ao seu lado, sem mais nem menos, como se ela o tivesse chamado até si. Sam sorrira-lhe e ela interrogara-se se seria assim que os anjos se davam a conhecer às pessoas na terra. Sentavam-se ao lado delas e mudavam as suas vidas. Sam disse, *Olá, queres apanhar uma pedrada?* Amy entendera as suas palavras como querendo dizer *És tão bonita que estou perdido por ti.* Depois da morte dele, era ao contrário. Ela estava completamente perdida por ele. Sam dormia no sofá, às vezes vivia com eles, outras vezes desaparecia. Ela contava com a natureza imprevisível de Sam, uma forma engraçada de traçar o mapa da sua vida. Mas ele voltava sempre. Até agora. Talvez fosse por isso que Amy não conseguia parar de chorar; ao perder Sam perdera-se a si própria, a rapariga que

186

fora, a rapariga destemida que se apaixonara no terminal de auto-carros sem a mínima hesitação.

Quando Amy saiu para a sua consulta, Will preparou o almoço mas não conseguiu comê-lo. Tinha o estômago às voltas. Pensamentos estranhos atravessavam-lhe a cabeça. Estava à espera de que o pai batesse à porta a qualquer momento e que tudo voltasse a ser como sempre fora. Nunca dissera nada à mãe, mas sabia onde o pai vivia quando não estava com eles. Sam levara lá Will uma vez, e até este percebera que era uma espelunca. Tinham de entrar por uma porta na cave e subir umas escadas de ferro. Havia pessoas a vive-rem em quartos que não tinham portas. Will e Sam subiram e subi-ram, até ao último andar. Sam tinha o papagaio com ele; era um papagaio pequeno que cabia no bolso do casaco. A sua família, o seu confidente. Às vezes Sam falava com o papagaio e as pessoas na rua desviavam-se.

Escolhe uma porta, qualquer porta, dissera o pai, depois de te-rem subido tão alto quanto era possível. Mas, claro, não havia por-tas, apenas quartos abertos e imundos. Havia cobertores e roupas no chão e água a pingar dos canos. Cheirava a bafio e a urina.

Para onde tu quiseres ir, papá.

Bom, és a primeira pessoa que me diz isso. O pai sentou-se no chão, ali mesmo no corredor. Will sentou-se em frente de Sam. Sabia que mais nenhum pai levaria o filho a um sítio destes, mas o seu pai não podia ser mais ninguém a não ser ele próprio.

Podes magoar-te aqui, papá, dissera Will. *Não quero que isso te aconteça.*

No dia a seguir ao acidente, pouco depois de Will ter feito a sanduíche que não conseguia comer, um homem que não conhecia bateu à porta. Quando ouviu bater, Will teve por um instante a esperança louca de que o pai tivesse voltado, embora soubesse que isso não era possível. Will abriu; no corredor estava um homem alto de fato cinzento. O homem era mais velho; parecia cansado, como se tivesse subido centenas de degraus. Parecia-lhe familiar, mas Will não conseguia dizer de onde.

O homem tratou Will pelo nome do seu pai.

O meu pai não está aqui, disse Will. *Quer entrar? A minha mãe deve estar a chegar.*

O homem disse qualquer coisa que Will não percebeu e deu meia-volta. Will fez menção de ir atrás dele, mas o homem já descera as escadas. Will pensou se este visitante seria um amigo do pai; ele de alguma forma parecia emocionado e perdido. Will voltou a entrar no apartamento e olhou pela janela. O homem não estava lá fora, mas Will viu algo verde pelo canto do olho.

Mesmo agora, mais de cinco anos depois, Will ainda o via, às vezes. Uma mancha de cor e penas. O papagaio que se soltara no dia em que o pai morrera. E não era ele o único. As pessoas de Chelsea viam o papagaio nos telhados ao longo da 23rd Street; havia quem jurasse tê-lo visto no corredor do seu prédio, a dormir em vestíbulos nas noites de neve, sentado nos parapeitos, perfeitamente imóvel, ou empoleirado em depósitos de água.

Will sabia que os papagaios podiam viver mais de cem anos, como o famoso animal de estimação de Winston Churchill. Durante muito tempo, deixou armadilhas no telhado do prédio, latas de alpiste e uvas e cenouras, tudo por baixo de um cesto da roupa preparado para cair sobre a criatura, se ela pousasse. Apanhou um rato, dois pombos e uma rola e, por fim, desistiu. Deixou de apanhar o metropolitano para Brooklyn e Queens, onde havia relatos de papagaios selvagens. Da única vez que avistou um ninho, os pássaros no seu interior eram vermelhos, nada parecidos com o papagaio do pai. Mesmo assim, ainda olhava para o céu. Fazia-o constantemente. Alguns dos seus amigos chamavam-lhe Caçador de Estrelas, não que se conseguissem ver estrelas em Chelsea; mas era verdade, ele estava sempre a olhar para cima. Estava na sua natureza ser esperançoso, mas não idiota.

A mãe dissera-lhe que fora um acidente e Will fazia de conta que acreditava. Era dessa espécie de filhos e Amy estava-lhe grata por isso. Achava que Sam sabia o quanto era fantástico o filho que tinham. Apesar de tudo, tinham oferecido algo bom a este mundo. Talvez fosse esse o seu destino, a tarefa conjunta de ambos, um rapaz como Will.

Agora, era o aniversário de Will. Ia fazer dezasseis anos, um ano mais velho do que Amy era quando tomara aquela decisão que lhe mudara a vida, no terminal dos autocarros. Will era muito mais puro do que ela alguma vez fora. Muito mais terra-a-terra. Quase seis anos sem o pai. Já não era um menino. Todas as primaveras,

Amy e Will alugavam um carro e iam ao cemitério no Connecticut onde Sam estava enterrado. Sam queria ser transformado em cinzas, mas ele e Amy nunca casaram e ela não tinha o direito legal de tomar esse tipo de decisão; o pai de Sam tratara do assunto, apesar de nunca ter tratado de mais nada, muito menos do filho.

Quando visitaram o Cemitério Archangel pela primeira vez, Amy sugeriu a Will que deixasse uma pedra; era o que os judeus faziam para recordar os seus mortos. Era o que faziam quando visitavam as sepulturas dos avós de Will em Long Island. E assim, todos os anos, Sam deixava uma pedra para o pai, e não uma pedra qualquer. Era sempre uma pedra que ele procurara durante semanas, uma pedra perfeita, uma pedra que o pai teria apreciado. Havia uma branca que encontrara em New Hampshire, onde passaram umas férias com um tipo com quem a mãe pensou casar-se, mas cuja relação acabara por não resultar. Havia uma pedra verde de Cape Cod, uma pedra preta do Central Park, uma coisa azul e com espirais que ele descobrira debaixo de um pinheiro durante um passeio com o avô em Long Island, um pedaço de granito de um passeio na 10th Avenue. A última que encontrara era prateada, brilhante, descoberta no chão do Museu de História Natural. Talvez fosse alguma coisa importante que caíra de uma exposição, uma pedra lunar, por exemplo, ou um pedaço de madeira pré-histórica petrificada, ou talvez fosse lixo que viera agarrado ao sapato de alguém. Achava que o pai teria gostado do mistério. Achava que o pai gostaria mais desta do que de todas as outras.

— Como gostava que o Sam te pudesse ver agora — disse-lhe a mãe no dia do aniversário. — Tão crescido. — Todos os amigos dele tinham aparecido e estavam reunidos à volta da mesa. Will mandara vir seis pizas com tudo. Will abraçou a mãe e esta começou a chorar sem motivo aparente.

— Sou uma parva — disse Amy, limpando os olhos, a rir.

Toda a loucura que possuíra em miúda se esgotara. Agora, quando pensava na pessoa que fora, nas coisas que fizera — andar à boleia pelo país, viver em apartamentos de estranhos, todas aquelas drogas, comprimidos que tomara para ficar maior ou mais pequena, para estar em todo o lado menos onde estava — era como recordar uma irmã há muito perdida, que ela mal conhecera. Uma miúda louca. Aquela rapariga selvagem. Que podia ter continuado a ser se não tivesse engravidado de Will.

— És apenas demasiado protectora — disse Will. Sabia que a mãe era uma pessoa de bom coração, com boas intenções. Talvez não estivesse sempre certa em relação às coisas. Mas não era nenhuma parva, isso era evidente. Simplesmente, às vezes, havia certas coisas que ela não queria saber. Em relação ao pai dele, por exemplo. Caíra do telhado. Era nisso que ela queria acreditar. Naquele dia, quando Sam levara Will ao prédio degradado, o que não tinha portas e cuja escada não levava a lado nenhum, aquele onde vivia quando não estava com eles, quando só conseguia pensar em drogas, tinham-se sentado frente-a-frente no chão sujo do corredor. Sam aproximara a cabeça do filho. Para alguém que não estava muito limpo, cheirava bem. Cheirava a ar puro e a relva verde.

Não podes ir comigo, dissera a Will. *Sabes disso, não sabes? Ninguém pode.*

Talvez tivesse sido um instante, talvez tivesse sido bem planeado, talvez fosse a realização do seu sonho.

Tenho de lá chegar sozinho, dissera-lhe o pai nesse dia, no corredor.

Lá em baixo, alguém estava bêbado ou pedrado e aos gritos, mas Will e Sam ignoraram a barulheira. Will acenara com a cabeça; ele compreendia. Algumas pessoas tinham opções e outras não. Ele soubera-o na altura e sabia-o agora, enquanto conduzia o seu grupo de amigos pelas escadas, todos aos gritos, com as barrigas cheias de piza, alegremente a caminho da festa de aniversário de Will. Mais um ano neste mundo, pelo qual estava grato.

Blanca fora à casa do pai para o almoço após o funeral, mas foi Meredith a conduzir. Agora, no dia seguinte, Meredith partira e estava a ser complicado orientar-se sozinha. Blanca perdeu-se em menos de nada. Tentou seguir o caminho que em tempos conhecera tão bem que conseguia percorrê-lo às escuras, a voar na sua bicicleta. Mas tudo parecia diferente. As árvores tinham sido cortadas, novas casas construídas, estradas prolongadas para atravessar novos empreendimentos surgidos onde antes havia apenas prados: tudo parecia estar do lado errado da estrada.

Blanca ia encontrar-se com a madrasta e com a meia-irmã e com o advogado do pai, David Hill. Ainda estava calor e ela comprara um conjunto para a ocasião na Dress Shack, na cidade, bem como um par de chinelos de enfiar no dedo brancos e algumas roupas de Verão. Tinha o cabelo solto e levava as pérolas da mãe ao pescoço, gotas frescas de sal e pedra. James telefonara duas vezes para a estalagem, mas de ambas as vezes Blanca estava fora quando ele ligara. Sentia-se isolada e abandonada; apesar disso, não devolvera os telefonemas. Estava numa bolha. Completamente sozinha. Conduziu com as janelas abertas até à casa da sua infância para poder ver as placas com os nomes das ruas; mesmo assim, chegou mais de uma hora atrasada. Blanca temia esta reunião. Uma coisa era evitar o pai durante todos estes anos, outra completamente diferente era ir para casa e ele não estar lá.

O Sapato de Cristal, quando Blanca lá chegou, brilhava, um brilho que quase cegava naquela tarde de Verão. Blanca estacionou o carro alugado e dirigiu-se à porta. O caminho ainda era feito de pequenas pedrinhas brancas, pedras redondas que os chinelos de Blanca esmagavam, desequilibrando-a. Hoje, o testamento de John Moody seria lido. Era engraçado, Blanca nunca tinha pensado no significado daquilo: o que ele queria, desejava, ansiava.

Quando abriu a porta, Cynthia abraçou-a e puxou-a para o vestíbulo. Era o único sítio escuro e sem janelas em toda a casa.

— Não é um dia feliz — disse Cynthia.

— Pois não.

A casa sempre tivera este eco? Enquanto percorriam o corredor, ouvia-se o *slap slap* dos chinelos de Blanca contra a madeira e os estalidos secos dos saltos altos da madrasta.

Lisa e o advogado estavam à espera na sala. Tudo parecia muito formal. Demasiado formal para um vestido solto e chinelos de enfiar no dedo. Todos disseram bom-dia, excepto Lisa. Ainda parecia alta e desajeitada, arrasada pela dor. Olhou para Blanca e desviou rapidamente o olhar.

— Vamos ao que interessa, sim? — disse o advogado. — Como devem imaginar, o John deixou a casa e metade de todos os seus bens à Cynthia. A outra metade dos bens foi dividida em três partes iguais. É uma boa quantia. Um terço para a Lisa e um terço para a Blanca.

— Somos apenas duas — disse Lisa.

— Quem é a terceira pessoa? — perguntou Cynthia.

David Hill entregou a Blanca um envelope castanho.

— É a Blanca que deve tratar do assunto. O seu pai pediu que o fizesse.

— Deve haver algum engano — sugeriu Blanca.

— Não há nenhum engano.

Cynthia e Lisa não disseram nada, mas aproximaram-se mais uma da outra. Certamente que estavam a pensar a mesma coisa. Porquê Blanca? Teria John Moody uma causa que elas desconheciam? Talvez pagasse as despesas de alguma tia velha da primeira mulher, internada num lar? Ou seria algo pior? Uma amante, ou um filho ilegítimo?

— Pode abri-lo aqui ou em privado, como quiser — disse David Hill. — Quando todos os bens estiverem identificados, serão abertas contas bancárias para as três pessoas. A Lisa tem também um fundo separado, para a universidade, que a esta altura já deve ter mais do que suficiente para a sua educação.

Blanca enfiou o envelope na mala. O pai agrafara-o e fechara-o com fita-cola. Todas essas medidas deveriam ter algum significado. *Não libertes esta fera. Ela morde, arranha, come ratos inteiros, cauda e orelhas e tudo.*

— Não vais abri-lo? — Lisa inclinou-se para a frente. Vestia a mesma blusa e saia pretas que levara ao funeral. Era alta, como John Moody, mas tinha a estrutura óssea delicada da mãe. Era uma combinação estranha; tornava difícil perceber se ela era frágil ou inacreditavelmente forte.

— Talvez mais tarde — disse Blanca. — Não me parece que esta seja a melhor altura.

— Temos o direito de saber quem é a outra pessoa — disse Lisa à mãe. — Não temos?

— Talvez seja melhor almoçarmos. — Cynthia levantou-se e sugeriu que a seguissem até à cozinha.

— Mãe! A Blanca nem sequer vinha visitar o pai. Nunca mais cá voltou.

— Ela já cá estava antes de tu nasceres — disse Cynthia. — Aprendi tudo o que sabia sobre bebés a tomar conta dela. Ela só tinha oito meses quando eu me mudei para esta casa. Por isso cala-te.

— Meu Deus, Cynthia, não sabia que te preocupavas tanto comigo e com o Sam.

Mudaste-te para cá por conveniência, era o que Blanca queria dizer, mas não disse. *Assim, o nosso pai não precisava de se escapulir pelo jardim a meio da noite.* Blanca sentia-se particularmente fria. Talvez fossem as pérolas que tinha ao pescoço. Talvez fosse o olhar de despeito que Lisa lhe lançava. Cynthia, por outro lado, decidiu ignorar o seu comentário.

— Fiz sanduíches de salada de ovo — disse Cynthia. — Dave, fica para o almoço? Tenho *Bloody Marys*, também.

— Claro que sim — respondeu David Hill.

O advogado era um homem corpulento e simpático com quem John Moody jogara golfe durante trinta e cinco anos. Um viúvo, que aceitava com todo o prazer uma sanduíche de salada de ovo e um bom *Bloody Mary*, e que já se levantara para seguir Cynthia.

— Bom, conseguiste o que querias. Aborreceste a minha mãe — disse Lisa.

— Aborreci?

Blanca sentiu uma pontada de remorsos; Cynthia fora casada com o pai muito mais tempo do que a sua própria mãe. Blanca lembrava-se de um espectáculo de *ballet* para o qual treinara noite e dia. Tinha seis ou sete anos. Após algum tempo, Sam já sabia o seu número de cor e treinava com ela no jardim e na sala de estar. Blanca tivera na altura um pensamento horrível: *Espero que ele não apareça no espectáculo para estragar tudo.* Antes de saírem de casa, no dia do espectáculo, Cynthia puxara-a à parte. *Não te preocupes*, dissera. *O Sam está a dormir. Não vai estar lá.*

— Tenho a certeza de que estás encantada por o meu pai te ter deixado mais a ti do que a mim — disse Lisa.

— Na verdade, não deixou. Tu vais herdar tudo o que a tua mãe recebeu e este terço é para outra pessoa qualquer, não para mim. Portanto, estás enganada, Lisa. Pensa melhor.

Lisa aproximou-se dela. Por um instante, Blanca pensou que a meia-irmã podia mesmo levantar a mão e dar-lhe uma estalada na cara. E seria merecida, na verdade.

— Que mal é que eu te fiz? — perguntou Lisa.

— Nenhum.

— Nunca falaste comigo, sequer! Agias como se eu não estivesse aqui!

— Na verdade, eu é que não estava aqui. Pelo menos, era o que desejava.

— Não interessa. Eu era a preferida dele — disse Lisa.

Naquele momento, Blanca odiou a irmã. Tinha ciúmes desta rapariga alta e infeliz, a quem o pai realmente amara.

— Que bom para ti — disse Blanca com frieza. — Devias mandar escrever isso na tua própria lápide: *O papá gostava mais de mim.*

— Por que raio havia ele de gostar de ti? Nem sequer era o teu pai verdadeiro.

Lisa tinha as unhas roídas até ao sabugo, algumas delas em sangue. Era do tipo nervoso. Ao fundo da rua, alguém estava a cortar a relva; ouvia-se o zumbido abafado do motor. Blanca sentiu-se agoniada. Tudo parou nesse instante.

— Sabias disso, certo? — Lisa estava a estudar Blanca, à procura de uma reacção. Lisa soubera através de uma amiga da mãe; na verdade, muitas pessoas na cidade tinham percebido quem era o pai de Blanca. Quando Lisa chegou a casa e perguntou à mãe se era verdade, Cynthia fechara-se em copas; nessa altura, Lisa teve a certeza. Agora escavou mais fundo, a provocar. — Quer dizer, toda a gente sabia.

— Decidi bem em não ter nada a ver contigo — disse Blanca. — Eras uma criança horrível.

Não era verdade, de todo. Lisa era uma menina sossegada e ansiosa por lhe agradar, que teria seguido Blanca para qualquer lado, se ela lho tivesse permitido. Mesmo assim, merecia ser castigada se ia começar a dizer mentiras.

— O teu pai verdadeiro era um porteiro, ou coisa do género — disse Lisa. — Ele vendia cães.

De repente, Blanca sentiu que havia ali alguma verdade; viu-o no rosto de Lisa. *Isto é mau. Pára de falar com ela. Sai desta casa.*

— Pergunta à minha mãe. — Lisa parecia muito satisfeita consigo própria. — Pergunta a quem quiseres. É verdade.

— Lisa! — Cynthia viera ter com elas. Trazia na mão um prato com aipo e azeitonas e estava pálida. Lisa correu para a mãe.

— Diz-lhe.

Hoje havia nuvens brancas, que corriam pelo céu. Qualquer pessoa podia olhar para cima, no meio da sala, e vê-las passar cada vez mais depressa.

— Sim, diz-me — disse Blanca. — Força.

— Blanca, ela é uma criança.

— Não me faças passar por mentirosa! — exclamou Lisa. — Diz-lhe!

— Sim, diz-me, Cynthia.

Cynthia parecia constrangida. Blanca olhou para a madrasta, chocada com a sua hesitação.

— Cynthia!

Isto pode ser verdade, pensou Blanca. *Ele nem sequer era meu pai.* Sentiu uma gota de suor nas costas, apesar do vestido de verão, apesar de a casa ter ar condicionado.

— Vais dizer-me ou não?

Vendo que Cynthia não dizia nada, Blanca pegou na mala e saiu. Os pássaros nas sebes faziam um barulho ensurdecedor. Um avião passou por cima dela. Blanca não conseguia ouvir nada. Os ouvidos doíam-lhe. Cynthia saiu atrás dela. Blanca virou-se para a madrasta.

— Era o George Snow. A tua mãe estava apaixonada por ele. Mas o teu pai foi o John Moody. Nunca duvides disso. E ele ama-va-te.

Blanca virou costas à madrasta e contornou a casa, pelo caminho de pedra. Sentia-se como se tivesse vidro dentro dos pulmões. Alguma vez lhe custara tanto respirar? O vestido de verão era demasiado quente. Sentia a pele a arder.

Ali estava o pátio onde John Moody morrera. Ali estava o relvado onde Blanca dançara com Sam, uma noite. Onde o vira injectar-se na noite em que Meredith trouxera Daniel a casa pela primeira vez e os encontrara sentados à mesa, às escuras. *Nem sequer dói*, dissera-lhe Sam. *Uma picadinha e já passou.*

Foda-se, pensou Blanca. Nada era o que parecia. Nem sequer o seu próprio sangue e ossos. Era até aqui que o mapa vermelho conduzia, a um local que ela nunca imaginara, à casa onde crescera, ao centro daquilo que ela era. Blanca pousou a mala no chão e aproximou-se da piscina. Verde e fresca. Meredith dissera-lhe uma vez que encontrara a verdade sobre si própria numa piscina, a flutuar na água escura. Blanca descalçou os chinelos brancos e sentou-se à beira da piscina. Era o último dia de alguma coisa. Podia nunca mais voltar aqui. Mais do que qualquer outra coisa, Blanca desejava conseguir lembrar-se da mãe. Tirou o colar de pérolas do pescoço e mergulhou-as na piscina. Se as largasse, flutuariam ou afundar-se-iam? Escreveriam o nome do verdadeiro amor da sua mãe, o seu pai biológico, ou simplesmente deslizariam, afundando-se depois até ao fundo, como pedras?

Abriu a mão e soltou-as. As pérolas começaram imediatamente a afundar-se; em menos de nada, estavam no fundo. Blanca mergulhou atrás delas, sem despir o vestido novo. Era espantosa a rapidez com que se podia perder uma coisa. Blanca mergulhou até ao fundo da piscina, obrigando-se a continuar apesar de quase não ter ar. Apalpou o fundo de cimento até ter as pérolas na mão, a única coisa que lhe restava, a única prova de que havia algo que era sólido e real e que valia a pena procurar.

Blanca esperou até estar no quintal atrás da estalagem para abrir o envelope. Era final da tarde e o céu estava nublado e cor-de--rosa. Despira o vestido molhado, pendurara-o a secar na casa de banho e enfiara uns calções e uma *T-shirt*. Tinha o cabelo húmido e a cheirar a cloro. Ainda se sentia arrepiada. As sombras no Connecticut eram tão profundas e deprimentes que a temperatura podia mudar drasticamente em poucos instantes. Blanca pousou o envelope que o pai lhe deixara em cima da mesa de jardim de ferro forjado e observou as abelhas nos rododendros. *Bem-me-quer, mal--me-quer*. Estava contente por estar sozinha. Era tudo tão verde. Tudo cheirava a relva.

Não fazia a mínima ideia do que estava dentro do envelope. Podia ser qualquer coisa, uma cobra, um rubi, uma confissão de culpa, uma chave, um pedaço de carvão. A carta estava escrita à mão e datada de há quase cinco anos, pouco depois da morte de Sam. John Moody guardara-a na gaveta da secretária e, poucos meses antes de morrer, enviara-a para o escritório do advogado. No seu último dia neste mundo, o facto de saber da existência desta carta trouxera-lhe conforto, como ele esperara que acontecesse.

Imaginou-a, o envelope, o papel fino dentro dele, a tinta azul, as palavras que escrevera.

Havia mais qualquer coisa. Blanca tirou uma fotografia da sua mãe. A fotografia estava desbotada e gasta; John Moody guardara-a na carteira durante trinta e sete anos. Arlie estava na coberta de um *ferryboat*, encostada à amurada; sorria para a máquina, o cabelo ruivo a esvoaçar atrás de si, com um vestido branco. Tinha dezassete anos, jovem mas brilhante, com o seu grande sorriso. Nas costas da fotografia, a caneta, John escrevera, *Arlie no* ferry, *um dia depois de casar comigo.*

Blanca abriu a carta. Sentia-se como se estivesse a descolar pele de osso. O papel estava amachucado e fez-lhe lembrar o som de chamas.

Devia ter falado contigo, mas acho que não sabia como. Queria falar-te sobre o George Snow.

Enquanto estava no cemitério com Meredith, Blanca reparara em três campas por baixo da árvore. A da mãe, com a pequena lápide quadrada cravada no solo, que Blanca recordava. A de Sam, apenas com o seu nome e datas de nascimento e de morte, que pretendia ser também simples mas estava decorada com várias pedras, como se a terra onde ele repousava soubesse que Sam precisava de mais do que uma laje de granito cinzento.

Olha, dissera Blanca a Meredith. *O Sam teria adorado isto. Arte com pedras.*

A terceira campa estava mais atrás; Blanca concluíra rapidamente que pertencia a outra família e que, apenas por acaso, estava tão perto. Ignorara-a. Agora percebia por que motivo o pai fora sepultado noutro sítio. Outro homem ficara com o seu lugar.

Os jovens são estúpidos e eu fui estúpido durante muito tempo. A tua mãe virou-se para o George Snow. Ele nunca casou e não teve mais filhos. Morreu há três anos — leucemia. Fui vê-lo ao hospital e levei-lhe fotografias tuas. Ele perguntou se podia ficar com elas.

Disse-lhe que se orgulharia de ti. Ele disse que já se orgulhava. Tinha ido a espectáculos de dança e reuniões da escola; seguira a tua vida. Nunca te disse nada porque tive medo de te perder. Desculpa--me por ter sido um pai terrível.

Parece que compreendias o Sam, por isso talvez consigas, no fundo do teu coração, compreender-me também a mim.

O Sam tem um filho. Vi-o uma vez. Quero deixar-lhe o mesmo que deixo às minhas filhas. Nas costas desta carta encontrarás a morada dele.

Isto é algo que nunca disse a ninguém: eu não estava com ela quando morreu. Estava lá fora, no quintal. O céu estava azul e o tempo estava agradável. Não acreditava que ela ia realmente morrer. Recusava-me a acreditar.

O George Snow estava lá em cima, no quarto dela, e ouvi-o chorar. Um homem que eu nem sequer conhecia. Mas, quando ergui os olhos, ali estava ela, de pé na relva, ao meu lado. Com o mesmo vestido que trazia na fotografia. Não disse uma palavra, nunca disse nada, mas eu sabia o que ela me estava a dizer: deixa-me partir.

Tentei, mas não consegui. Só o compreendi nesse momento, quando a vi. Sempre tinha sido ela. Ela era a tal, e eu nunca o percebi.

Tentei fazer o que ela me pedia, mas não fui capaz. Nunca a deixei partir.

O teu Pai.

Blanca ficou sentada à mesa enquanto o dia escurecia. Havia uma festa a decorrer na sala de jantar da estalagem. Alguém acabara o curso ou ficara noivo. Pensou em George Snow, apaixonado pela sua mãe. Pensou no pai, a escrever uma carta e a guardá-la na secretária durante anos. Pensou em Sam no telhado e em John Moody de pé no relvado, perdido.

Quando subiu, Blanca queimou a carta no lavatório da casa de banho; deixou uma leve camada azul na porcelana, que teve de esfregar. Não queria que ninguém ficasse magoado com o conteúdo da carta. Não admirava que tivesse sido agrafada e colada: esta carta não era para os olhos de Cynthia. Ela e John tiveram um bom casamento e havia coisas que era melhor ficarem por saber. Já havia mágoas suficientes. Mas Blanca ficou com a fotografia. Guardou-a na carteira.

Achava que se lembrava de ver George Snow sentado na fila de trás nos espectáculos de *ballet* da escola. Um homem alto e loiro que a aplaudia. Talvez devesse estar zangada por ter sido tão enganada; em vez disso, deu por si cheia de saudades de John Moody. Apesar de ter sido um pai terrível, sentia mais falta dele do que alguma vez poderia ter imaginado, aqui no Connecticut, um sítio que evitara durante tantos anos.

Nessa noite, enquanto estava a fazer as malas, bateram-lhe à porta. Era Lisa. Blanca ficou a olhar para ela, surpreendida.

— Compreendo se não quiseres convidar-me a entrar — disse Lisa.

Lisa ainda não tinha carta de condução; caminhara vários quilómetros para chegar à estalagem. Agora estava ali, a coçar as picadas de mosquito. Parecia ter menos de dezasseis anos.

— Quiseste magoar-me e conseguiste — disse Blanca. — Uma vez que isso já está feito, tanto faz que entres ou não.

Blanca voltou a dedicar-se às suas malas. Não tinha muita coisa para arrumar, na verdade. Não esperara ficar mais tempo do que o estritamente necessário.

Lisa seguiu-a para dentro do quarto. Tinha uma expressão cautelosa e cheirava a limão e a fumo.

— Vais-te embora já?

— Vou para Nova Iorque esta noite. O meu avião é depois de amanhã. Para dizer a verdade, só quero sair do Connecticut o mais depressa possível.

— Também eu — disse Lisa com ar grave. Deixou-se cair numa poltrona e tirou do bolso um maço de cigarros. — Importas-te que fume?

— Estás à vontade. — Blanca foi buscar um copo de água para ela usar como cinzeiro.

— Ele não gostava mais de mim — disse Lisa. — Acho que essa foi a coisa mais cruel que alguma vez disse.

— Não, dizer-me que ele não era o meu pai verdadeiro foi provavelmente mais cruel.

— Tens razão. Talvez eu quisesse apenas a tua atenção.

Blanca riu-se.

— E conseguiste-a. — Lisa inalou profundamente o fumo. — Isso faz-te mal — disse-lhe Blanca.

— O Sam fumava?

— O Sam fazia tudo o que lhe fazia mal.

Blanca empurrou o copo na direcção de Lisa, que deu uma última passa e apagou o cigarro. Lisa dobrou as pernas debaixo do corpo. Tinha imensa vergonha por ser tão alta.

— Toda a gente desapareceu. Fiquei sozinha com o cão. Que, na realidade, devia ser o teu cão. Esse tal George Snow deu-to a ti, mas, quando foste para a universidade, deixaste-o ficar e eu fingia que era meu. Adorava-o. Lembras-te do nome dele?

— Claro que sim — disse Blanca.

— *Dusty*. — Lisa desatou a chorar. Tapou a boca com a mão para não soluçar.

— Eu sabia o nome dele. Esqueci-me apenas por um minuto. O que aconteceu ao *Dusty*? — perguntou Blanca.

— Morreu, há oito anos. Estás a ver o que quero dizer? Nunca pensaste sequer em nós.

— A única coisa em que pensava era em ir-me embora.

— Eu penso no mesmo! Odeio aquela casa. É como uma gaiola. Faltam treze meses para ir para a universidade e sair dali. E quatro dias. Mas só se for à festa de formatura. Presumo que a Cyn teria um ataque de nervos se eu não fosse.

Ambas se riram. Lisa limpou os olhos e assoou-se com a bainha da *T-shirt*.

— Oh, que bonito — disse Blanca. — Miss Ranhosa.

— Tentei tudo para te chamar a atenção, quando era pequena. Tu eras tão distante. Eras tão má.

— Tinha o coração partido.

— O Sam. Tinhas saudades dele. — Lisa olhou em volta. — Tens um minibar?

— E esperas que eu permita que te embebedes?

— Não és esse tipo de irmã?

— Normalmente, não.

Blanca comprara uma pequena garrafa de *vodka* na cidade. Serviu um pouco em dois copos.

— Oh, meu Deus. — Lisa franziu o nariz depois de um golinho. — Não tens sumo para misturar?

Blanca foi à casa de banho e acrescentou água da torneira ao copo de Lisa. Lembrava-se de querer ser crescida, de julgar que isso faria alguma diferença.

— O que vais fazer com a tua herança? — perguntou Lisa, enquanto bebia pequenos golinhos da bebida que era, agora, basicamente água.

— Pagar as minhas dívidas. Talvez pagar os empréstimos todos da minha livraria para poder falir às minhas próprias custas. E, se sobrar alguma coisa, comprar tantas coisas de caxemira quantas conseguir. E tu?

— Faculdade de Medicina.

— Uma miúda frívola, hã? — Blanca acabou de arrumar as malas. Esvaziou o copo e fechou a mala. — O Sam teve um filho. É para ele o último terço do dinheiro. Não quero que fiques a pensar que há um grande mistério.

— Mal me lembro do Sam. Acho que o vi duas vezes, quando era bebé. Fico contente por saber para quem é o dinheiro.

— Talvez eu tenha sido uma irmã de merda — disse Blanca.

— Podes tirar o talvez.

Blanca sentou-se na beira da cama. Era mais parecida com John Moody do que alguma vez teria imaginado.

— Desculpa.

— Bom, vai à merda — disse Lisa. — Deixaste-me a mim e ao cão. Provavelmente nem saberias se eu também tivesse morrido há oito anos.

Desataram a rir e não conseguiam parar.

— Pelo menos sei como te chamas — brincou Blanca.

— Ah, sim? Qual é o meu segundo nome?

— Qual é o meu?

Riram-se histericamente.

— Está bem — disse Blanca. — Lamento muito.

— Ainda bem. — Lisa inclinou-se para a frente na cadeira. — Eu também.

Lisa pegou no saco de viagem de Blanca, que por seu turno levava a mala e o vestido de verão molhado, com o qual se atirara para a piscina, enrolado num saco de plástico. Blanca pagara mais uma noite, mas ia-se embora, de qualquer maneira. Deu boleia a Lisa até casa. Ambas costumavam voar por aquela rua nas suas bicicletas, com anos de diferença.

— Gosto de passar aqui quando está escuro — disse Lisa, com o nariz encostado à janela.

— O Sam gostava do escuro — disse Blanca.

— Achas que ele teria gostado de mim?

— Meu Deus, de certeza que sim. O Sam ter-te-ia deixado beber aquela garrafa de *vodka* inteira.

Sem sequer pensar nisso, Blanca deu facilmente com o caminho; à direita e à esquerda, depois ao longo da sebe de lilases. *Cheiram como a nossa mãe*, costumava Sam dizer-lhe. Sentiu o seu cheiro agora.

— Obrigada — disse Lisa quando chegaram à casa. — Quando ando no escuro, estou sempre a bater em teias de aranha. Tenho medo de aranhas.

— Medo de aranhas. — Blanca tomou nota mentalmente. — Não me vou esquecer.

— Já agora, o meu segundo nome é Susan. O nome da minha avó, do lado da minha mãe.

— Eu não tenho segundo nome. Acho que a minha mãe se esqueceu de me dar um.

— E que tal Beatrice? — sugeriu Lisa. — Tive um ratinho de estimação chamado *Beatrice*. Assim, podíamos chamar-te Beebee.

— A Meredith chamava-me Bee.

— Estás a ver, é um nome perfeito.

— A Cynthia deixou-te ter um rato?

— Ela não sabia.

Ambas se riram de novo.

— Se alguma vez for a Londres, vou ter contigo — Lisa abriu a porta do carro mas, antes de sair, perguntou: — O que vais fazer esta noite? Quando chegares a Nova Iorque já será meia-noite.

Não era a melhor hora para bater à porta de um estranho.

Estou perdida. Abram a porta. Digam-me onde estou.

— Podes ficar aqui — ofereceu Lisa. — Ninguém te incomodaria.

Blanca sentiu-se comovida. Lisa era apenas uma miúda. Não era tão má quanto isso.

— Talvez estacione aqui um bocadinho. Vou dar um passeio, para recordar os velhos tempos.

— Está bem. — Lisa saiu. — Adeus, Beebee — disse.

— Adeus, Lisa Sue.

Blanca viu Lisa subir os degraus a correr e entrar em casa. Estava uma noite particularmente escura. Não se via estrela nenhuma. Ou talvez estivessem encobertas. Blanca saiu do carro e percorreu o caminho, até à relva junto da piscina. A relva era macia; descalçou os chinelos e deitou-se, por um minuto. Nuvens prateadas deslocavam-se através do céu escuro. *Beebee*, pensou. Meredith acharia graça ao diminutivo que Lisa lhe arranjara.

Blanca fechou os olhos. Só alguns instantes, antes de regressar ao carro. Sem querer, adormeceu rápida e profundamente; sonhou com o cisne. Estava ao lado dela, na relva. No sonho, Blanca abriu os olhos. Desta vez o cisne tinha uma ninhada de ovos, luminosos, da cor da lua. Olharam um para o outro e, apesar de uma ser uma mulher e o outro ser um cisne, conseguiam compreender-se. Não através de palavras; era mais simples, mais intenso do que isso.

Não voes para longe, pensou Blanca no sonho.

Mas o cisne levantou voo, com as asas enormes, e desapareceu no céu escuro. Os ovos ficaram no relvado. Blanca não fazia ideia a quem pertenciam. Sentiu-se em pânico — *Como hei-de tomar conta deles? O que hei-de fazer?* Mas, quando olhou com atenção, viu que eram apenas pedras. Pedras brancas e perfeitas. Mais nada.

Blanca acordou cedo, com os braços e as pernas rígidos. O relvado estava molhado e as suas roupas húmidas; tinha folhas de relva no cabelo. Levantou-se. Uma neblina erguia-se do solo. O céu era da cor de pérolas. Pensou em George Snow, sentado na fila de trás de todos os seus espectáculos de dança. Pensou em John Moody a escrever-lhe uma carta. Pensou em James Bayliss a separar uma luta entre rapazes que nem sequer conhecia.

Era tão cedo que não havia muito trânsito na via rápida, mas Blanca perdeu-se na cidade. Contornou a Union Square, depois seguiu a Broadway até à baixa, antes de finalmente conseguir encontrar a 23rd Street. Procurou um lugar para estacionar e acabou por encontrar um na 10th Avenue, a poucos quarteirões da morada que o pai escrevera.

Pensou no que diria ao filho de Sam quando o encontrasse. *A minha mãe era filha de um capitão de* ferryboat. *O meu pai era um desconhecido. O meu irmão era a pessoa que eu mais amava neste mundo, apesar de sempre ter sabido que o perderia.*

Era suposto ter tocado à campainha à entrada do prédio, mas ia uma pessoa a sair e Blanca conseguiu apanhar a porta aberta. O chão do vestíbulo era de mosaicos pretos e brancos e fazia eco. Não havia elevador e Blanca começou a subir as escadas. Quando chegou ao quarto andar, viu o 4B, o apartamento onde o filho de Sam vivia, mas continuou a subir. Mais um andar, e mais um; até lá acima. Queria ver onde tudo acontecera. A porta do telhado estava trancada mas, quando a empurrou, conseguiu ver uma nesga de azul. Talvez fosse o suficiente. Afinal de contas, era o que Sam vira. O mesmo céu. Toda a sua vida ele pensara naquela raça de pessoas do Connecticut que só podiam voar em circunstâncias extremas. No último instante, quando não havia esperança nem possibilidade, erguiam-se do navio que se afundava, do edifício em chamas. O pai da mãe deles, aquele que morrera quando Arlie tinha apenas dezassete anos, jurava tê-las visto, bem alto acima do estreito de Long Island. Pareciam pássaros, mas não eram. Eram algo completamente diferente.

Ele saltara por desespero ou caíra por acidente, mas talvez tivesse sentido também esperança. Era uma vez, num sítio não muito longe daqui, alguém que estava perdido e se encontrou. Alguém que estava a afundar-se e se ergueu para as nuvens. Alguém que se apaixonou. Alguém que se salvou. Blanca voltou a descer até ao quarto andar. Não se lembrava da última vez em que sentira algo parecido com felicidade. Aqui estava ela, sozinha numa manhã extraordinária. Abandonou tudo enquanto estava ali parada no corredor escuro; deixou o passado afastar-se para longe, como cinzas no parapeito de uma janela ou pássaros num beiral. Pensou em Ícaro e na casa de vidro onde tinham crescido; pensou na mãe, com um vestido de verão branco. O tempo estava quente e húmido e o céu ainda se apresentava escuro no horizonte, de um azul forte mesmo no centro. Não fazia ideia onde estava ou como voltaria para casa ou se regressaria a Londres ou se estava apaixonada ou mesmo se estaria alguém dentro do apartamento para lhe abrir a porta.

Mesmo assim, tocou à campainha e esperou pelo que ia acontecer.

A NÃO PERDER

UM VERÃO EM SIENA
Esther Freud

Estamos em Julho, três meses depois do décimo sétimo aniversário de Lara e uma semana antes do casamento real entre Carlos e Diana. A convite do pai, Lara decide passar o Verão longe da poluição de Londres e sob o sol da Toscana. É aí que conhece a família Willoughby, cuja piscina é palco das mais indolentes e voluptuosas tardes. Ricos, sensuais e manipuladores, rapidamente a envolvem nas suas alianças familiares e conspirações. À medida que Lara se rende aos encantos do belo e despreocupado Kip Willoughby, mais intensa é a sua curiosidade, mas também as suas dúvidas e o seu medo. E assim começa a mais inquietante e arrebatadora jornada da sua vida…

Um romance inesquecível sobre famílias, segredos e amores; uma evocação perfeita do calor indolente, das piscinas refrescantes e dos longos almoços de *mozzarella*, *prosciutto* e *vino bianco* apenas possíveis em Itália. Um mundo simultaneamente sedutor e perturbante, em que facilmente se partilha a mistura de atracção, inveja e temor que Lara sente.

«Deliciosamente inquietante.»
Marie Claire

«Uma história que perdura na mente do leitor
como as memórias agridoces do final do Verão.»
San Francisco Chronicle

A VIDA EM SURDINA
David Lodge

Quando decide pedir a reforma antecipada, o professor universitário Desmond Bates nunca pensou vir a sentir saudades da azáfama das aulas. A verdade é que a monotonia do dia-a-dia não o satisfaz. Para tal contribui também o facto de a carreira da sua mulher, Winifred, ir de vento em popa, reduzindo o papel de Desmond ao de mero acompanhante e dono de casa. Mas o que o aborrece verdadeiramente é a sua crescente perda de audição, fonte constante de atrito doméstico e constrangimento social. Desmond apercebe-se de que, na imaginação das pessoas, a surdez é cómica, enquanto a cegueira é trágica, mas para o surdo é tudo menos uma brincadeira. Contudo, vai ser a sua surdez que o levará a envolver-se, inadvertidamente, com uma jovem cujo comportamento imprevisível e irresponsável ameaça desestabilizar por completo a sua vida.

Divertido e comovente, *A Vida em Surdina* é o relato brilhante do esforço de um homem para enfrentar a surdez e a morte, a velhice e a mortalidade, a comédia e a tragédia da vida humana.

«Magistral.»
Lire

«Muito divertido e extremamente comovente… Um prazer do início ao fim: Lodge está cada vez mais arrojado e mais profundo.»
Kirkus Reviews

AQUELE VERÃO EM PARIS
Abha Dawesar

Parece improvável que um solitário de 75 anos, cansado de viver e isolado do mundo, conheça uma jovem de 25 anos na Internet. Mais improvável ainda que ele seja um escritor laureado com o Prémio Nobel da Literatura e ela uma vibrante aspirante a romancista. No entanto, quando ela revela o seu fascínio por Paris, para onde decide partir na esperança de terminar o seu livro, ele segue-a. E, ao longo de um indolente e sensual Verão, numa sedução animada por uma paixão comum pela arte, Paris e a gastronomia francesa, os dois escritores exploram os limites do prazer e da criatividade.

Com um estilo e ritmo únicos, *Aquele Verão em Paris* é uma reflexão sobre a forma como a arte e o amor estão intrínseca e visceralmente ligados.

«Abha Dawesar é o Philip Roth da literatura indiana.»
Publishers Weekly

«Um romance arrebatador e excêntrico.»
Entertainment Weekly